宇宙パワーで銀河一のパートナーと世界一ハッピーになる!

この世で一番
恋愛ベタな私が
見つけた
「絶対法則」

吉岡純子
Yoshioka Junko

大和出版

はじめに

最高の幸せはすぐそこであなたを待っている

『宇宙パワーで銀河一のパートナーと世界一ハッピーになる！』

このタイトルを見て、あなたはどう思われましたか？

「どういう意味？」「なんと能天気なんだ！」と思った方もおそらくいることでしょう。

でも、その横にあるサブタイトルに視線を移してみてください。

「この世で一番恋愛ベタな私が見つけた『絶対法則』

「なんで私は幸せになれないの？」ともがき苦しんだ、涙の歴史が透けて見えないでしょうか？（笑）。

実は、このメインタイトル、かつての私の「心の叫び」を表したものです。

はじめまして。

吉岡純子と申します。

現在は、YouTube・オンラインコミュニティなどのメディアを通じて、現実創造の情報をお伝えすることをメインに、さまざまなビジネスを手がけています。

プライベートでは、愛するだんなさまと令和元日に結婚し、今も、ものすごく大切にしてもらって幸せな毎日を過ごしています。

しかし、ここに至るまでは、タイトルでの叫びのように、苦難の連続でした。

詳しくは本文でお話ししていきますが、世界中を見渡して、私ほど恋愛ベタだった女はいないと断言できるほどです。

そもそも男性にどう接していいかわからなくて、いつも友達止まり。やっと好きな人と付き合えたと思ったら、なんとセカンド……みたいなこともあったり……。

それでも彼に愛されたくて、彼の好みに合わせた（つもりの）服やバッチリメイク、色っぽい（つもりの）しぐさを頑張って、いつでも連絡をキャッチできるようにスマホに張り付く毎日。もちろんわがままも言いません。寂しくて家でわんわん泣いても、彼に見せるのは笑顔だけ。

そこまで自分を殺して頑張っても彼の「いちばん」にはなれない。それがわかったときは本当に悲しくて、やがてフツフツと怒りが湧いてきました。

その怒りは、やがて「私、自分を変えよう」「みんなこの私に惚れてみやがれ！」という、開き直りに近い、熱くポジティブな思いに変わりました。

タイトルに使った「銀河一のパートナーと世界一ハッピーになる」という言葉は、当時の私の心境をすくい取ったものです。

だからといってすぐに現実が変わったわけではないですが、ある日「エイブラハム」という存在と出会って、ダメ恋愛人生が大きく動き出しました（エイブラハムとは、後でちゃんと説明しますが、宇宙の集合意識のこと。私たちに宇宙の法則を教え、導いてくれる教師のような存在です。その教えは、ヒックス夫妻の著書などを通じて世界に広まっています）。

とはいえ、エイブラハムの教えを理解して実際に行動していこうとすると、難しい部分もあります。

　私もそうでした。

「想像しているものが現実化する」という教えにしたがって、写真を切り抜いたり、願望をビジュアル化しようとしましたが、それだけで思うように現実が動くことはありませんでした。

「幸せな現実を創るのに、これは絶対はずせない」という核心の部分にたどり着くまでは、何度もつまずいたり悩んだりしました。

　そこでこの本では、そんな私が自分なりの工夫や発見をしながら見つけた「幸せになるための絶対法則」をマンガと文章をおりまぜながら明かしていきます。

　マンガパートの主人公は、
・恋に対していつも頑張っている
・天にもよく願っている
・でもなかなか関係が進展しない
・彼のことで頭がいっぱい

な女性です。

そんな彼女に訪れたある出会いと、急速に変わり始める現実。

宇宙にオーダーする方法、ネガティブな感情や嫉妬との付き合い方、恋のライバルが味方になってしまう術やそうなれるコツなど、あなたがハッピーになるためのすべてをあますことなく紹介していきます。

読むことであなたのこれまでの恋愛観と意識は変わっていくはずです。

なぜなら、ここにあるのは小手先のテクニックではなく、自分のあり方を根本的に見直す方法だから。どうしようもなく恋愛ベタだった私でも、あきらめずに探究し、実践したら最高の幸せをつかめた、超実用的な法則だからです。

さあ、いよいよこれから、あなたが銀河一のパートナーと世界一ハッピーになるためのツアーが始まります。

準備はできましたか？

それではさっそくスタートしましょう。

吉岡純子

目次

宇宙パワーで銀河一のパートナーと世界一ハッピーになる！

はじめに　最高の幸せはすぐそこであなたを待っている

第1章

恋愛ベタでも大丈夫！

あなたを世界一ハッピーにする「引き寄せの法則」「現実創造論」

STORY 1 私だって幸せになりたいっ！ …… 16

私より恋愛ベタの女性はいない!? …… 38

苦難続きの毎日にある日ひとつの光が！ …… 42

ワクワクする恋愛と幸せの世界にまいりましょう！ …… 46

第2章

脳内宣言!

宇宙が勝手に〝望む世界〟をスタートしてくれる「しくみ」

コツ1 基本の「き」は自分の感情を震わせる …… 52

コツ2 宇宙に詳しめなオーダーを! 生半可なオーダーでは宇宙には届かない …… 55

コツ3 ストーリー力をつけながら最高のイメージを!! …… 57

コツ4 幸せセンサーを高める …… 61

コツ5 オーダー表は保存してもしなくてもいい …… 68

コツ6 表層からではなく、深層心理から湧き上がるオーダーを出すこと …… 70

コツ7 外見を変える順番も下から上へ。皮膚に近い部分から変えて、幸せセンサーを磨く …… 76

コツ8 「全世界の男性から好かれる」が大前提 …… 79

コツ9 ご縁がある人↓出会っている以上はご縁がある …… 81

コツ10 行動力が必要 …… 84

コツ11 実は「引き寄せ」「現実創造」は自分の在り方次第ではお金はかからない……86
コツ12 「自分はお花だ」と思う……91
STORY 2 「幸せのパズル」……94
COLUMN 1 現実化の始まりについて……110

第3章

焦りは禁物！ここが大事！

「オーダーが届かない」ときの身の処し方

コツ13 現実創造を思い出す……112
コツ14 落ち込みを切り離すためにはちょっとずつ波動を上げていく……115
コツ15 いかなるときもコントロールは禁物……118
コツ16 期待しない練習をする……122
コツ17 良い悪いのジャッジをしない……124

コツ18 自分が発している波動を確認する …… 128
コツ19 基本的にあがくようなことはしない …… 131
コツ20 自分にウソをつかない …… 133
コツ21 浄化習慣　お花を部屋に。お塩のお風呂に入るといい …… 135
コツ22 弱い自分を認める …… 136
コツ23 ライバルを愛す …… 138
コツ24 嫉妬をバネにするととんでもなく飛躍する …… 142
STORY 3 本心はどこにある？ …… 148
COLUMN 2 宇宙的引き寄せにおける男の人の見極め方 …… 166

第4章

ご縁は紡ぐから素敵！

最高に幸せ&さらに人生が好転する「その先」の世界

STORY 4 この瞬間が愛おしい …… 168

コツ25 波動の性質を知る …… 174
コツ26 この人でいいの？と迷ったときは高次の存在にも聞いてみる …… 177
コツ27 小さな目標設定、大きな目標設定、どちらが自分に合うかを知る …… 183
コツ28 目標の量は少ないほうが焦点を合わせやすい …… 186
コツ29 「純度の高いお願い」こそが宇宙に届く …… 189
コツ30 低いハードルを越えるようにするっとヴォルテックスの中に入る …… 193
コツ31 泣いちゃうような衝撃も次の展開に必要なステップ …… 196
コツ32 思わぬご縁が想像もできないことを起こさせる …… 200
コツ33 今の世界は幸せな世界でしかない …… 204

おわりに　今こそ、動き出すときです

本文漫画　雨川みう
ブックデザイン　喜來詩織（エントツ）
本文ＤＴＰ　美創
編集協力　長谷川恵子

本書の登場人物

吉岡純子（29歳）

仕事もおしゃれも頑張っている
アラサー女子。大好きな人の言葉や
行動に日々一喜一憂している。
なかなか願ったとおりにならない現実に
落ち込んでいたある日、不思議な出会いが……。

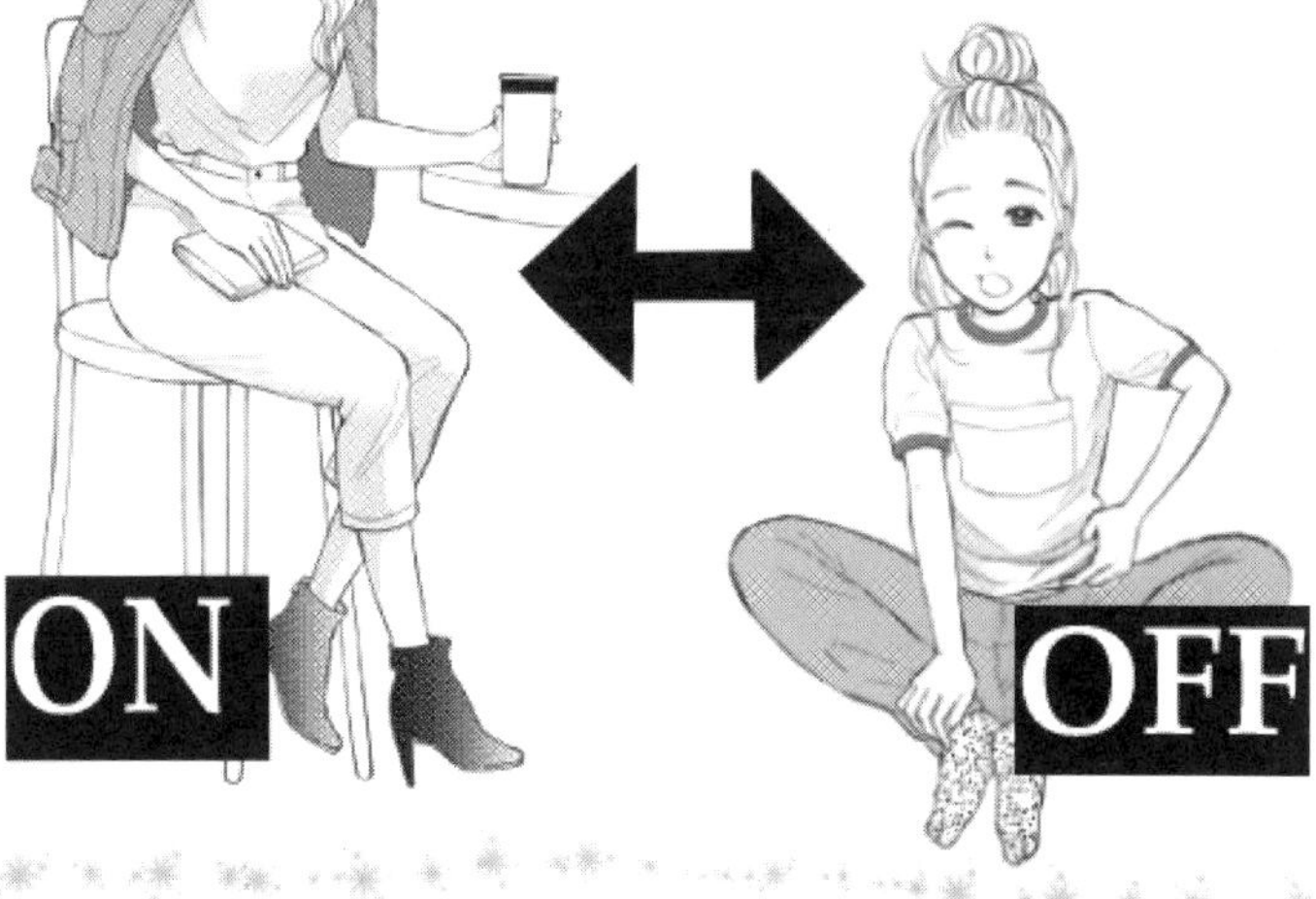

田中郁子（37歳）

恋愛カウンセリングルームForest室長
大学では心理学を専攻。
引き寄せの法則を取り入れた
カウンセリングが評判で、
悩める女性達を次々と幸せに導いている。

本書の登場人物

小嶋サトシ（36歳）

学生時代から
リーダータイプの
エリートサラリーマン。
男女問わず頼られ
モテるタイプだが
何よりも仕事優先。

村松信吾（39歳）

かつては、武闘派として
ケンカに明け暮れる
毎日を送ったことも。
頭がキレ仕事もソツなく
こなす経営者だが
子どもや動物への愛情が厚く、
温かい家庭に憧れている。

第1章

恋愛ベタでも大丈夫!

あなたを世界一ハッピーにする「引き寄せの法則」「現実創造論」

❤ STORY 1
私だって幸せになりたいっ！
先月の売り上げ また1位!?
吉岡
森永
石飛
小林
私は吉岡純子（独身）
すごいな ダントツで吉岡じゃん
さすが〜
パチ パチ パチ パチ
みんなも吉岡さんに続いてバンバン売りましょう！
では私 営業に行ってきます
おお 頼むよ
仕事をバリバリこなす
アラサー女子です
大和ビル 大和ビル
ここだ
ピロン♪

あ！
サトシから
LINEきた♬
えーっ
ウソでしょ
ごめん！今日の夜会議が
入った
また連絡する。
19時に銀座の
レストラン
予約してるん
だけど
「終わるまで待ってる」
あっでも
これじゃ面倒な
女だと思われ
ちゃうかも
消去消去
「わかった
お仕事なら
仕方ないよね」
体調に気…
…あれ？

今日、私
誕生日なんだけど
忘れられてる？
3週間ぶりに会えると思ったのに…
ぐび
ぐび
なんで私家で一人で…
ケーキ食べてんのよー～!!

うわぁ〜〜んあ〜〜〜ん
うえ゙え゙え゙ゔぅ〜〜っ
ピロン
サトシ!?
ばっ
あ…友達からでした
嬉しいケド
お誕生日
おめでとー(^∀^)
独身貴族
つらぬこー(^∀^)
独身貴族っていつの言葉よ
縁起でもないからやめてよね〜
ピロン
今日はごめんな
誕生日おめでとう!
明日なら時間つくれる
から埋め合わせさせて

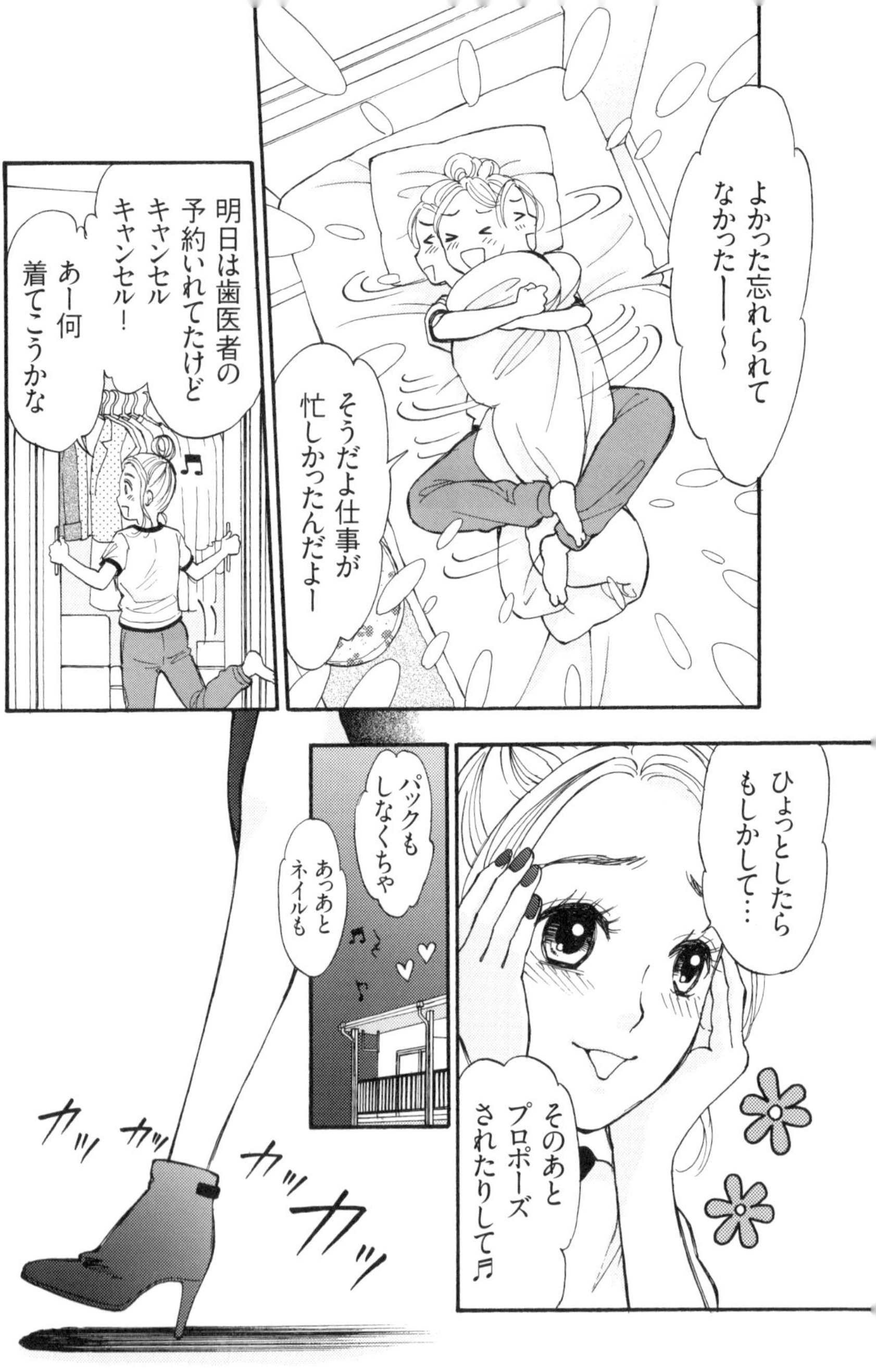
よかった忘れられてなかったー～
そうだよ仕事が忙しかったんだよー
明日は歯医者の予約いれてたけどキャンセルキャンセル！
あー何着てこうかな
ひょっとしたらもしかして…
そのあとプロポーズされたりして♬
パックもしなくちゃ
あっあとネイルも
カッ
カッ
カッ
カッ

おはようございます！
ビシッ
おはよー　わっ　セクシー
吉岡さん　カッコいい～
まさに　デキる女　ですね
夜はデート　ですか？
ふふ
まあねー
みんなちょっと　いいですかー
小林さんが今月末で　寿退社することに　なりました
え!?

結婚!?
小林さんてまだ25歳じゃなかった？
わ! 結婚指輪ステキ～
これもしかしてダイヤ!?
スゲー
すごい大きい! 見せて見せて
1カラット 75万円
お…
私は吉岡さんみたいに仕事でいい成績は出せなかったですけど
旦那さんを世界一幸せにしたいです♡
オメデトウ小林さん…
ありがとうございます♡

いいね～
小林さんの手料理が毎日食べられるなんてうらやましいよ～
私だって…
私だって今日プロポーズされる（予定）だから!!
純子!
こっちの駅まで来てくれてありがとう
いいのいいの
サトシ忙しいでしょ

明日休み
だっけ？
うん
そう
ゆっくり
できるよ
よしっ!!
準備万端
髪かきあげ
まつげ
ビシバシ
肩出し
チラリズム
生脚
食事が
終わったら
そのまま家に…
っていう流れね
予定通り♪
あ、
そうだ
はいこれ
プレゼント
わ！
嬉しい〜
ネックレス
かな？

ボールペン。
え？これって…えっ!?ボールペン!?
4色出るの便利だろ
わ、わぁ〜 こんなに使いやすそうなボールペン
ありがとぉー

小林さんは寿退社で
ダイヤの指輪なのに!!
ダンッ
なのに私は
売上1位でもまだ独身だし!ボールペンだし!!
完璧な女性になるために頑張ってきたのに
何がダメなの!?
まだ努力が全然足りないってこと!?
キャンセルお願いします
6
7
17 MON
さとし♡
なんか自分に腹が立ってきた
こうなったら極上レベル目指してやる

世の中の男性たち…
全員わたしに惚れてみやがれーー!!
うるさいんですけど
あ…スミマセン
ん…

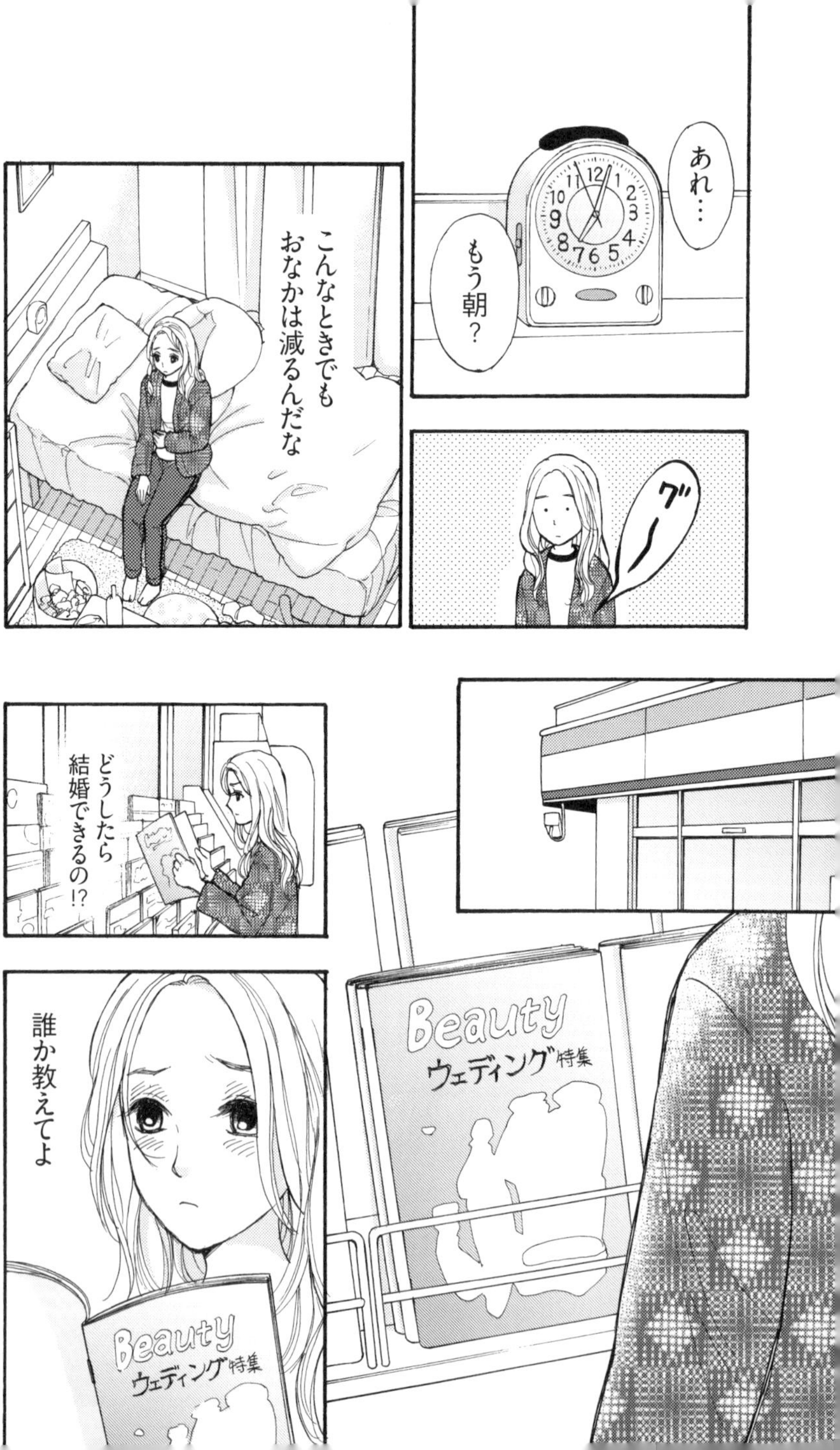
あれ…
もう朝？
グー
こんなときでも
おなかは減るんだな
どうしたら
結婚できるの!?
Beauty
ウェディング特集
誰か教えてよ

目 まっかですけど 大丈夫ですか？
え？
しまった 化粧おとすの 忘れてた！
あっ……！ だ、大丈夫です すみません
よろしければ
ハーブティー 飲みませんか？
……え？
恋愛 カウンセリング ルーム Forest
どうぞ
ラベンダー ティーです

はー
いい香り…
ありがとうございます
ちょっと落ち着きました
よかったです
…私
完璧な女性になるために努力してるのに
どうして彼と結婚できないんでしょうか
私だって
幸せになりたいんです!!
ガタン

結婚したいですか？
はいっ
したいです!!
結婚して何が欲しいですか？
欲しいもの…
お金？
広い家？
私が欲しいものは…家族です
おじいちゃんおばあちゃんになっても手をつないでいるような
そういう家族が欲しいです！

完璧な女性になるために努力されてるんですよね
はい! すごく!
では…
本当になりたいのはどんな自分ですか?
え!?
ドキッ
本当になりたい…
自分?

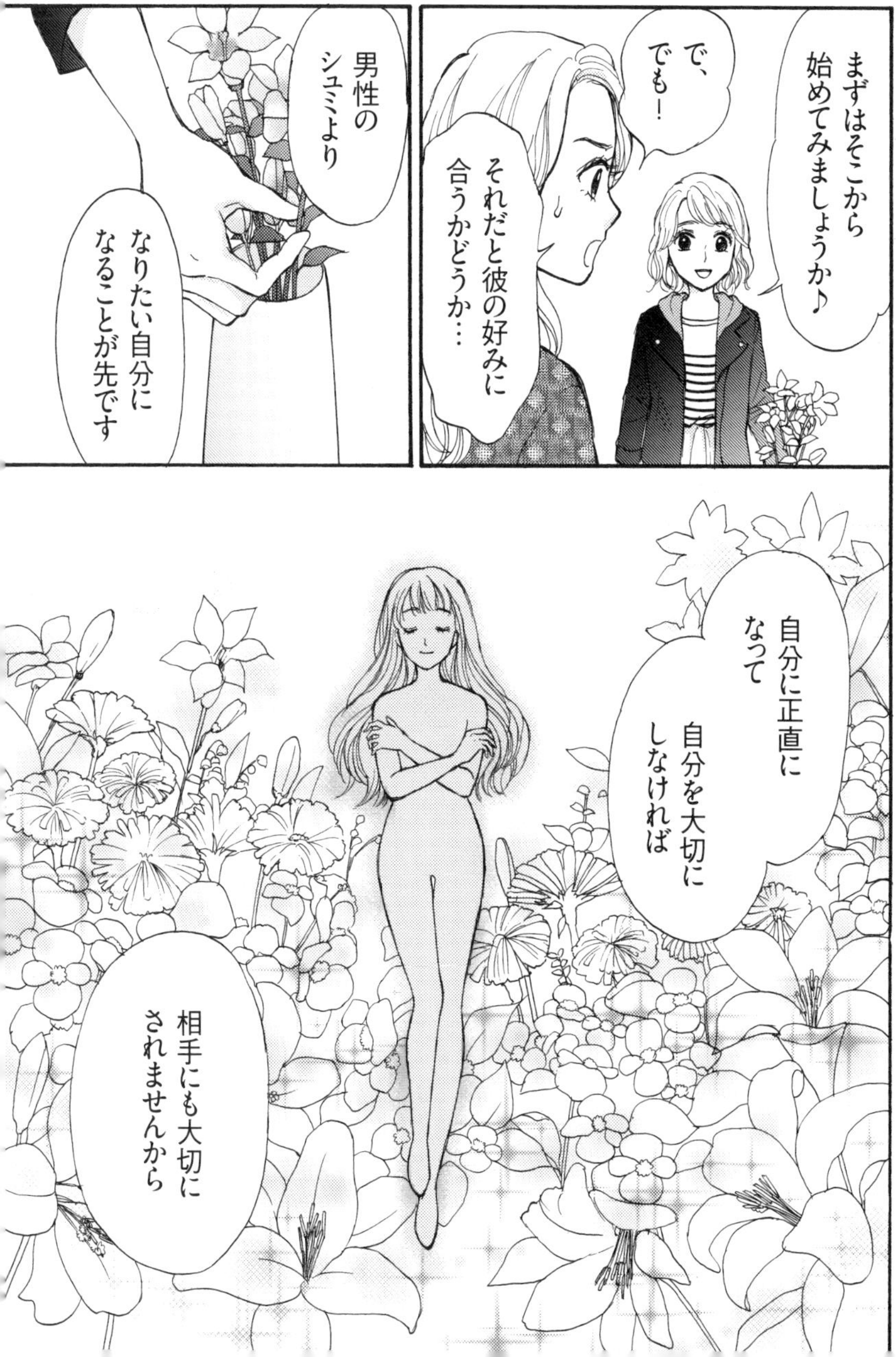
まずはそこから始めてみましょうか♪
で、でも！
それだと彼の好みに合うかどうか…
男性のシュミより
なりたい自分になることが先です
自分に正直になって
自分を大切にしなければ
相手にも大切にされませんから

自分に正直になる…
純子さんは今「女性はこうあるべき」という考えを優先して本当の気持ちを押し殺しているので
イイ女とは?
・セクシーアピール
・メイクバッチリ
・ワガママを言わない
・彼のシュミに合わせる
・LINEの返事はすぐ返す
まだかなー
波動がとても乱れています
波動?
波動とは
「あなた自身のエネルギー」のことです

自分をもっと大切にすれば
波動が変わって幸せになれます
えっ!?
なりたいです
どうやればいいんですか!?
キュンキュンすることです♡
き…
え!?

そして私がお伝えする「引き寄せの法則」で…
ガラッ
絶対に幸せになれます！

私だって
私だって
幸せになりたい
完璧を繕う
自分はもうイヤ!!

私より恋愛ベタの女性はいない!?

イイ女で、仕事もできて、ちゃんと気遣いもできて……。

いまどきは、そんなカッコいい女性たちがたくさんいますよね。一見、彼女たちの毎日はキラキラして幸せそう。足りないものなんて、何もなさそうです。にもかかわらず……私、吉岡純子のもとには、お年頃？の女性たちからこんな悲痛な叫びがたくさん届きます。

「ずっと彼氏ができないんです！」
「大好きな人に大切にしてもらえなくてつらい」
「自分を好きになりたいけど、なれない……」

もっと愛されたくて大切にされたくて、でも自信がなくて。その気持ちを誰にも見せられず、幸せな自分をつい演じてしまう。

本当の自分を鎧の中に閉じ込めて、外ではバリバリのイイ女をやっているけど、家に帰るとドーンと落ち込む、そんな人が実に多いんですよね。

その気持ち、ものすごくわかります。

なぜなら昔の私も超恋愛ベタで、鎧をかぶりまくって、ままならない現実に苦しんでいたから。

でも、大丈夫。もし今のあなたがそうだとしても、必ず現実は変えられます。

どんな人にも降り注いでいる「宇宙の無上の幸福」を味方につけることができれば、きっと幸せになれます（って、「宇宙の無上の幸福」って聞くとなんだか怪しく聞こえますね（笑）。この言葉の意味については、この後すぐに説明しますね☆）。

そう言えるのは、私自身がまさにその方法で本当の自分を取り戻し、大好きな人と出会って結ばれることができたからです。

幸せな恋愛や結婚を望むあなたのために、私の経験でお役に立ちそうなことは、この本で全部シェアするつもりです！

ところで、「宇宙の無上の幸福」とは何かって？

はい。ここで言う「宇宙の無上の幸福」とは、宇宙の集合意識であるエイブラハムが伝えてくれている言葉なのですが、私たちの人生に流れている絶対的な法則、「引き寄せの法則」や「現実を創造できる力」のことです。

「引き寄せの法則」「現実創造論」は願望実現に関する本やセミナーでよく取り上げられているので、「本で読んだ」とか「やってみたことがある」という方は多いでしょう。

でも、もしかしたら初耳の方もいらっしゃるかもしれません。

ということで、まずはこの法則のいちばん基本的なところからお話しします。

引き寄せの法則とは、すごく簡単に言えば、「類は友を呼ぶ」（似たものが引き寄せられてくる）ということです。

たとえば、朝さえない気分で目覚めたら、通勤電車で足を踏まれた。ランチで入ったお店は愛想がなくて味もイマイチ。仕事でもトラブルが発生して残業するはめに。「ああ、さえない一日だった……」なんて経験はありませんか？

まわりを見ても、ネガティブな発言が目立つ人はやたらと面倒なことに巻き込まれたり、物事を良いほうに考える人にはラッキーな出来事が多かったりしませんか？

いろんな例を思い出すほど、私たちの人生に引き寄せの法則が働いていることは、疑う余地がなくなりますね。

要は、その人が意識していること、味わっている感情、それによって発せられる波動によってさまざまな現象や物質は引きあっているんです。だからこそ、「これを意図的に使えば、自分が望む現実を自由に創ることができる」と、引き寄せの法則の達人たちは、口をそろえて言います。

ところが、実際にやってみると、うまくいく人ばかりじゃないんですよね。

私自身も、すぐに思うような現実を創れるようになったわけじゃありません。

「よくわかんないな〜」と考え込んだことも、何度もありました（苦笑）。

苦難続きの毎日にある日ひとつの光が！

この法則と出会った頃の私にとって、「好きな人と幸せな恋愛をする」という現実を創るのは、いちばん難しいことだったんです。

私の本を読んだり、YouTubeを見てくださっているみなさんは、私のハードな過去についてはご存知だと思います。小学校三年生で見知らぬ相手からの性的虐待、摂食障害、うつ等の経験もあり、精神病院への入退院もしました。

また、45メートルひきずられる交通事故にも遭いましたし、さらには心臓病で一度は死を宣告されました。その間、療養を兼ねてニート生活も。

そんなつらいことだらけの人生でしたが、実は、お金や仕事という面ではけっこううまくいくタイプ？の人間で、会社勤めの頃には営業成績が優秀で表彰されたり、重要な役職に就いたり、起業したら初年度の年商3000万円、翌年には億を超え、ずっと右肩上がりに伸びています。

そのような状況から、みんなの前では明るくふるまっていたし、さまざまな意味でアップダウンも激しいけれどまわりから見ると強運で、なんでもうまくいっていると言われていました。

でも、当時の強がりな気質も手伝って誰にも言えなかったのですが、恋愛はまったくといっていいほどダメで本当に苦しかったです。


昔から、外に出るとただ物陰から男性陣を見ているだけ。小さい頃の体験の影響もあると思いますが、男性を前にすると実はドキドキしながらも、それを隠して「ガハハハ」なんて笑ったりしていました。

そうすると親友としては見てもらえたけれど、恋愛に結びつかないわけです。

それでもやっと彼氏ができたと思ったら、ほかに相手がいて私は二番手とか。

でも強がっちゃうんですね。

「私は幸せなんだ」というふうに見せてないと自分が保てないというか。だから外ではバリバリに仕事のできる綺麗めのお姉さん、幸せそうな人を演じていました。

でも内面的には自信が全然なかった。ひとりになるとすぐ泣いていたんです。大好きな人が、「好きだよ」とは言ってくれるけど、結局私を選んでくれないのが悲しくて、どうやったらこの人に愛してもらえるんだろうって。

それで、「自分を変えたい」と、あるとき心底から思ったんです。

それで、考え方や在り方を変えたり、自分が選ばれるようにいろいろやってみましたが、結果は……。

そんなときに引き寄せの法則、現実創造論と出会って、初めてひとつの光を見た気がしました。

やった！　やっと私、救われるかもしれないって。

だから、法則そのものを疑うことはなかったんです。

とくに私が最初に手ごたえを感じたのは、『〔新訳〕願えば、かなう　エイブラハムの教え』（エスター・ヒックス、ジェリー・ヒックス著、ダイヤモンド社）でした。

この本は、翻訳本ということもあって、表現が理解しづらい面はあったけれど、そこには確かに真実があると感じていました。

本を繰り返し読んで試行錯誤しながら、他のスピリチュアルなメソッド、心理学、量子力学、脳科学なども学び、自分なりにいろいろな角度から実験・検証してみました。

その結果、私が実感したのは次のことです。

とにかくにも大切なのは、波動が高く強い状態をキープすることだ！

ワクワクする恋愛と幸せの世界にまいりましょう！

その波動とは何かというと……「エネルギー」や「気」と呼ばれるものと一緒だと考えてください。

でも、それだけではわかりにくいので、物理現象をミクロの世界から見る「量子力学」の理論で、ざっくりと説明してみますね。

私たち人間も含めて、宇宙のすべての物質は分子で構成されています。この分子を分割すると原子になり、原子を分割すると原子核、さらには素粒子になります。この小さな小さな素粒子が、物質の最小単位です。

つまり、私たちは一見、人間とか犬とかテーブルとかの「形あるもの」として存在しているけれど、つきつめればみんな素粒子の集合体です。

そしてこの素粒子はつねに振動していて、「波」の性質も持っていると言われています。その振動しているさまを「波動」と呼ぶのですが、その波動が高い振動数であれば、それに近い振動数のものが周りに集まってくるし、その波動が低い振動数なのであれば、それに近しい振動数のものが周りに集まってきます。

そして引き寄せの法則とは、その波動の性質を利用して〝自分の波動〟を元に現実を引き寄せていくというものです。

ですから、自分の波動に見合った現象・物・人・情報などが目の前に登場するので、波動が高く強い状態をキープすることが何より大切なのです。

恋愛がダメダメだった頃の私は、波動にあまり注意を払っていませんでした。「人」の波動が高い状態とは、自他に優しくできていたり、精神状態が乱れておらず、〝喜び〟や〝愛〟や〝感謝〟といった温かい感情を味わえている状態で、「人」の波動が強い状態とは「気」や「メンタル」が強く、何かにつけてブレたりせずに、力強く行動していける状態です。その波動の状態を保てるとさまざまな喜ばしい現実をつくることができるのです。

マンガで、「好きな人からの誕生日プレゼントがボールペンだった」というシーンがありましたよね。あれは私の実体験です。

文房具屋さんや本屋さんで売っているたぶん１０００円ぐらいのボールペンで、ものすごくショックでした。でも、その場では「ありがとう！　こんなに使いやすそうなボールペン！」なんて満面の笑みで受け取りました。

いつもそう。会いたいなと思っても、デートで行きたい所があっても、相手の反応がイマイチなときはけっしてワガママを言いませんでした。

彼からはいつも「いい子だね」と言われて、そのときはそれがうれしかったんです。でも、それで幸せだったかというと、違いました。

いつも不安で、幸せそうに見える人たちが羨ましくて。

今ならわかるんですが、そんな状態だと、いくら望んでいること（プロポーズされるとか）を想像してもダメなんですよね。なぜなら、表面では明るくいい子を演じていても、感情がどよーんとしているのであれば、私たちの波動は低くなっていて、「喜び」や「愛」などの高い波動をもった現実は創ることができないからです。

波動が低いと、それに見合った「うれしくない現実」しか創れない……。

私はこれを、身にしみて実感しました。

ワクワクする幸せな恋愛模様を創造するために大切なのは、何よりも「キュンキュンすること」です。

自分を偽らず、「喜び」を深く味わったり心を震わせたりして、いい気分になること。それが波動を高めてくれて、幸せな現実を創る原動力になります。

もしあなたが昔の私のように、嫌われないために「いい子」を演じているなら、もうやめましょう。もっと大切にされたいのに、それを見せないように頑張っているなら、もうそんなことはしなくていいんです。

むしろ、しちゃダメです！

自分らしく生きながら、素晴らしいパートナーと最高に幸せになる。

それはあなた次第で絶対にできるんです。そのための心がまえや行動のコツ、そして、気をつけたい落とし穴など、私の経験をふまえて、できるだけ丁寧にお伝えしていきます。

どうか、最後まで読んでみてくださいね。

第 2 章

脳内宣言!

宇宙が勝手に
“望む世界”を
スタートしてくれる「しくみ」

コツ1 基本の「き」は自分の感情を震わせる

「宇宙のパワーを借りて望む現実を創るには、イメージすることが大事」引き寄せや現実創造に興味があって、多少でもやってきた人なら、この言葉に異論はないと思います。

でも「一生懸命イメージしてるのに、願いがちっとも叶いません」という声も、私のところに山ほど届きます。

最初の頃、私が引き寄せ・現実創造を間違えていたときも同じでした。

「想像しているものが現実化するんだ」と思って、そこだけにエネルギーを使っていました。もっとリアルに想像できるように頑張ろうとか、写真の切り抜きとかを使って、願望をビジュアル化して何度も見なきゃとか。

でも、あるとき気づきました。

イメージは確かに大事。願望をビジュアル化して何度も見るのも大事。

でも、もっと大事なのは感情や心だったんです。

「心が震えたり、感情を深く味わうことで波動が形成され現実創造が始まる」

これを、当初の私は見落としていました。

引き寄せの「基本のき」は、感情を震わせることです。

逆に言えば、どんなにうまく「願望が実現したシーン」を思い描くことができても、そのとき自分の心が1ミリも動かなければ、それは現実になりづらいです。

だから、恋愛を輝かせたいと思ったら、表面的なことを頑張るよりも自分の感情を震わせること。それが「心をキュンキュンさせると良し」の意味です。

ところが、そのキュンキュン感を、私はなかなか味わうことができなかったので、「好きな人にこんなに愛されてすごくうれしい」という状況が創られなかったんです。なんとなくの恋愛模様を想像して「キュン」程度ではまだまだ弱い。

中途半端でなく本気でキュンキュンすること！　それが何よりも大事です。

たとえばジャニーズの誰かとか、大好きな芸能人などに、「その人にプロポーズしてもらう」という想像をしてキュンキュンする。というのもかなりイイです。

思い描くと「きゃあっ！　○○くんにプロポーズされちゃった！　幸せ！」って、なりませんか？　その感覚です。

プロポーズしてくれる人は、もちろん芸能人にかぎらず、憧れの人などどんな人でもＯＫです。

それから、せっかくときめいてもその一瞬で終わってしまったら引き寄せ・現実創造の効果はあまり期待できません。

ときめく時間のほかに、日常で食事をするときや買い物をするときなど、「自分はこれにキュンキュンする」というポイントを見つけて、一日の中で、感情が震える時間をできるだけ何回もつくることが大切です。

私は、それができたときに現実が変わり始めました。

コツ 2

宇宙に詳しめなオーダーを！ 生半可なオーダーでは宇宙には届かない

たとえばレストランで「これが食べたい」と思ったら、料理の名前をお店の人に正しく伝えますよね。

それと同じで、宇宙のパワーを借りて恋愛や結婚を成就させたいときも、宇宙に向かって詳しめなオーダーを出すことが大事です。

「こういうことを望んでいます」と、宇宙に自分の意図を伝えるわけですね。

おすすめは紙に書きながらイメージすることですが、そのときは必ず「その人が登場したときの感情」を味わいながらオーダーしてほしいと思います。

そう、「キュンキュン」です。

それも、「優しくて収入があって家庭を大事にしてくれる人」とかサラッと書いて、「こういう人が現れたらいいな〜」と思うだけではなく、もう少し詳しく書いてみてください。

あなたの心が震えるような幸せな状況を、宇宙にもう少しリアルに具体的にオーダーしてみてください。

「その人と海の見えるチャペルで結婚式を挙げて、みんなに祝福の拍手をもらって、自分が両親に書いた感謝の手紙を読んで、ちょっとウルウルしちゃう。

そして、その後の新婚旅行は○○に行き、超ハッピー♪」といったところまで落とし込んでみてください。

すでに付き合っている相手がいるときも同じです。

私は、夫に出会う前の元彼と結婚したいと思っていたとき、誰かのブログに「婚姻届けを書いておくと現実化する」と書いてあったので、やってみたことがあります。でも、叶いませんでした。

そのときは、今思うと心が震えていませんでした。ワクワクの「ワク」ぐらいの感じで、作業をこなしただけだったのと、半信半疑だったので……。

そのようなスタンスだったから宇宙に届かなかったんだなあ、と今となっては思います。

だって、もし心から大好きでずっと一緒にいたい人から、「愛してる」とか「一生大切にするよ」とか言われて婚姻届を書くことになったら、「ワク」なんてレベルじゃありませんよね（笑）。

キュンキュンを通り越して、心臓がバクバクして、「ありがとうございます～！！」って大大大感謝したくなりますよね（笑）。それを「今」想像してほしいです。

ですから、どこまでも本気でドキドキ・キュンキュン・大興奮してしまうくらいの感情を味わいながら、オーダーを出すと良し。デス！

「詳しめなオーダー」とはそういうものだとぜひ覚えておいてくださいね。

コツ3 ストーリー力をつけながら最高のイメージを!!

理想の恋愛や結婚を思い描くときは、ストーリー性が大切だと私個人では思います。

やりやすい方法としては、好きなドラマや漫画のヒロインに自分を当てはめてみるといいですね。その世界に自分が入り込んでしまうんです。

周りの人から見たら「大丈夫ですか？」という感じになるかもしれないですが（笑）、これはすごく効果があります。

引き寄せ・現実創造に出会う前から、いつも私は大好きだった『ママレード・ボーイ』とか『天使なんかじゃない』とか、ハッピーエンドの少女漫画を読んでは、恋するヒロインの気分になって「きゃ〜っ♪」とやっていました。

実はこれが波動が爆上がり（笑）、素敵な恋愛・結婚を創造したいときにはかなり効果的だということはだいぶ後になってから知りました。ふだんは恋愛や男性に対してある種のおびえがあった私も、まったくそういうものを感じないで純粋に恋愛の気分を楽しみながら漫画やドラマのお気に入りのシーンのような現実を創れたので、これはすごくよかったです。

漫画やドラマをあまり見ない人は、自分が好きな風景写真とかに自分を当てはめるのもいいです。その場所で幸せに浸っている自分を想像するんです。結婚式をするきれいなチャペルなどぴったりですね。

私も昔、結婚式場によく足を運んでいました。

今のようなお仕事をする前に恋愛カウンセラーをしていた時期があって、そのときの個人セッションの場所を目黒のホテル雅叙園にしていたんです。

そこにいると、挙式したカップルが写真を撮っている光景もよく目にしました。その光景を見ていると、自分の素敵な未来もより鮮明に想像しやすかったです。また、幸せな気のある場所に行くのはとっても大事なので、あなたもチャペルや結婚式場のあるホテルなどに、ぜひ通ってみてほしいです。

ほかにもパワースポット的な場所では、恋愛に効く神社によく行って、おみくじに書いてあるアドバイスを読んではルンルン♪していました。

自分の意識を整えて波動を上げていくだけでなく、目に見えない力（宇宙・根源・神様・ハイヤーセルフ・宇宙存在など呼び名はご自身がシックリくるものでどうぞ☆）を借りることもぜひやってほしいと思います。

なぜなら現実を創るということは宇宙との共同創造なので、自分の意識と目に見えない力、その両方が大事だからです。

もうひとつ重要なポイントは、イメージングは妥協してするものではないということ。

「このくらいでいいかな」と妥協したり、「現状から脱出できればいい」と、そこそこの現実を想像しながら、目先の変化を望んでいる人もけっこう多いのですが、それはかなりもったいないと思います。

どこまでも想像を広げて、「これが最大限の望みだ！」ということを望んでほしいです。愛する彼と老後はどんなふうに暮らしているとか、先の先まで見てください。

結婚はゴールではなくスタートという意識で、10年後はどこに住んでいて子どもは何人とか、親も一緒に住んでいるとかいないとか、とりあえずでいいからどこまでも望んでいてほしいです。

だってあなたには、それだけの価値だってあるし、創造する力だってあるんだから……！

思い返すと、私自身が過去に恋愛系の引き寄せ・現実創造で失敗し続けていたときは、目先の変化を望んだり、中途半端に結婚式で泣いてるシーンまでしか想像していませんでした。

そうじゃなくって、あなたが見てみたい先の先の先の未来まで自由に想像しながら素敵な感情を味わってみてください。

道のりの途中で自分が年齢を重ねて、望むことが変わってきたかな?と思ったときは、また改めて望み直せば大丈夫です。今は途中の変更のことは考えないで、思いきり先の未来まで想像をはばたかせて、楽しんで日々を過ごしてみてくださいね。

コツ4　幸せセンサーを高める

「引き寄せの法則」「現実を創造する」を実践しているときに多くの人が間違えやすいのが、望んでいる現実が、魔法みたいにいきなり目の前に現れると思ってしまうこと。

でも、実際は違います。「パーツ」から現れるんです。これをしっかり覚えておいてください。

たとえば、あなたが身近にいるラブラブな老夫婦のイメージを借りて、「旦那さんからいくつになっても『愛している』とか『可愛いね』と言われる日常を生きたい」と願っているとしますね。

そうするとまず、パーツのうちのひとつの「可愛いね」という言葉から出現し始めるんです。

それも、友だちや家族から、「最近可愛いね」とか「一緒にいるとホッとする」とかの言葉をもらう。そういう身近なところのパーツから変わり始めます。

自分のセンサーを働かせて、そういう変化に敏感になっていることが大事です。

望む現実を創りたいときには、気をつけないと視野が狭くなりがちで、**恋愛だったら「カッコいい男性が出てこないかな」と、ついメインの対象物ばかりを思ってしまうんですが、男性（メインで変化してほしいもの）ばかりに目を**

向けないで、現実のパーツの変化にも、センサーを向けてください。

でないと、「私は頑張っている。でも、ちっとも素敵な人が現れない」とか、焦りや不満が生まれて、結局波動が乱れてしまいます。

幸せを願っているのに、「でもダメ」みたいなことを思っていたら、その思考、感情、波動をもって「ダメ」のほうが実現してしまうので、くれぐれも気をつけましょう。エイブラハムも、「あなたたちは『でも』『だって』が多い」と常々言っています。

エイブラハムって誰？という方のために解説すると、宇宙の集合意識のことで決して「人」ではありません（笑）。

宇宙・見えない世界にいる教師たちの集合体みたいな存在のことです。

エイブラハムは、私たちが宇宙の法則を理解して望む現実を創るための手助けをしたいと考えていて、たくさんのメッセージを送ってくれています。

第1章でふれた『〔新訳〕願えば、かなう　エイブラハムの教え』という本は、エイブラハムが、エスター・ヒックスさんという女性を仲介役にして、夫のジェリーさんからのさまざまな質問に答えてくれた内容が、文章にまとめられたものです。

その中に、このような言葉があります。

「私たちはただあなたが望むものにイエスと答えます。だから純粋に自分がこうなりたいと思う望みを、想像して感情を味わってくれればいいのに、あなた達（地球人）は、『でも』『だって』と言う」

つまり、私たちはただ喜んでいるだけで望む現実を得られるんだから、素直にそうしていなさいと言ってくれているんですね。

だからあなたも、すぐに大きな結果を出したいと焦らずに、心から望んでいることを想像して、感情に浸ることに集中してみてください。

そうすると、「パーツ」から現れるので、自分が思い描く男性とのデートにぴったりな洋服を先にゲットしたり、ちょっとしたきっかけで髪型が変わったりする現象が起きます。

そうやって、現実が変わり始めたかなと感じる小さな出来事が増えてくるんです。

ですから、望む現実はパーツから現れることを忘れずに、パーツが現れだしたらたくさん喜んでいてくださいね。

ちなみに私の中では、洋服もひとつのパズルのピース（パーツ）になると思っています。

私、元々はジーパンが好きでした。女の子っぽくない性格だと思っていたし、スカートなんか履いてはいけないキャラだと思っていたのもあって、お買い物に行って「あっ、すごく可愛いワンピース！」と思っても、「でも、このキャラでは」「この年齢では」とか思って避けていたんです。

でも、エイブラハムは「あなたの波動が変わっていく過程で必要なものを出していく」と言っているので、それを信じて意識を変えてみました。

可愛い服が目についたら、「もしかしてコレがエイブラハムが言う『必要なもの』（パーツ）なのかな？　確かにデートするようになったらこれを着るよね。じゃあ、今のうちから着てみよう」と思って、スカートや、ピンクっぽい色のものを着たりするようになりました。

また、ふだん着るものを変えると、メイクの仕方や髪型なども変えようかなという気持ちが出てきます。

それで美容師さんに、いつもなら「カッコいい髪形にして」と頼んでいたのを、「ふわっと可愛らしい感じに♡」と変えさせてもらったりしました。

すると、モテ始めたんです！

あ、私にとっては「可愛い洋服」が大きなポイントでしたが、別にエロ可愛い服やカッコいい服やクールやシンプルな服がダメということではありませんからね！

自分が心から着てみたいもの、それこそがあなたのパズルのピースなので、あなたの心が反応するものを純粋にキャッチしてみてください。

私の場合、前の彼にはエロ可愛い＆クールな服がウケるだろうと勝手に思っていて（笑）、そういう服を着ている時期があり、自分の好みは二の次にして

いたし、他の面でもかなり自分にムリをさせていました。

その結果が「誕生日に１０００円のボールペン」でした（泣）。

本当は、私の憧れの女性は綾瀬はるかさんとか、石原さとみさんみたいな可愛らしい女性だったのに、必死に彼に合わせにいって、偽りの自分を演じながら、自分を我慢させていたんです。

その心が枯渇している状態から「誕生日に１０００円のボールペン」という、さらに心が枯渇するような現実を私は創ってしまいました。

でもその在り方を改め、自分の心に正直に、心が喜ぶことに注目していたら「モテ期」が到来しました。

たぶん自分に正直になって本質的に求めているほうへ寄っていったから、魂の喜びと合致し現実が変化したんだと思います。ですから、自分は何が好きなのか、どうなりたいのか。そこは一人ひとりで内観してみてほしいなと思います。

小手先のテクニックはほどほどに。なりたい自分を優先して、そこに恋愛が

ついてくるというスタンスでいるほうがいいです。

ふと心惹かれるものや人からのほめ言葉、自分自身の小さな変化、そういうものはみんな幸せな現実創造のパズルのピースです。

それらをひとつずつ集めるつもりで、「これが素敵な未来につながるのかもしれない。きゃ〜っ♪」とか、その瞬間をワクワク・ドキドキ・キュンキュンしながら楽しんでみてくださいね。

コツ 5 オーダー表は保存してもしなくてもいい

キュンキュンしながら書いたオーダー表は、とっておいても捨ててもあなたの自由です。

オーダーを書くのは紙のノートでもスマホのメモ帳でもＯＫですが、オーダーを繰り返しているとノートがいっぱいになったり、データがたまってきますよね。

そのとき、捨てたほうがスッキリすると思ったら捨てればいいし、とっておきたいならそのまま持っていていいと思います。

私の場合、日々たくさんオーダーを書いていて、全部とっておくと家がノートで埋まってしまうので一定期間が過ぎたら処分しています。

でも、持っているとホッとするとか、あとから読み返すのが楽しいとか、そういう場合はとっておいてください。

オーダー表を保存するかどうかに関係なく、純度の高い心からの望みは現実化していくので、そこにこだわる必要はないと思います。

ただ、ひとつだけ注意点があります。

オーダーを書くノートにそれ以外のことを書くと、それも叶ってしまう可能性が高いということです。

これは最近の私の経験なんですが、オーダーノートの余白に「こうならないように、これをしておく」と仕事関係のメモを書いておいたんですね。

そうしたら、「こうならないようにと懸念した部分」が現実になる、ということが起きてしまって、これはマズイと思いました（苦笑）。

　なので、オーダーノートを作ったらそこに余計なことは書き込まず、オーダー専用にしておくのが無難かもです。

コツ6 表層からではなく、深層心理から湧き上がるオーダーを出すこと

「コツ2：宇宙には詳しめなオーダーを！」の続きになりますが、これから出会う「運命の彼」に関して、どんなオーダーを書くと効果的なのか、さらに具体的に考えてみましょう。

　たとえば相手の職業を書くかどうか。

　これはどちらが正解というのはなくて、人によります。

「こういう職業の人」とか書くと、わくわくキュンキュンするなら書けばいいと思います。逆に、書くことで「そんな人、現れるのかな？」とか「私じゃ無理かもしれない」とか焦ってしまうならやめたほうがいいです。

引き寄せや現実創造のコツは、「型にはめないこと」です。
自分に合わせた「オーダーメイドの望み方」でないとうまくいきません。

出そうとしているオーダーが自分の気質に合った情報なのかどうか、つねに内観しながら（自分の感情を観察しながら）オーダーしてください。

また、内観することがなぜ大事かというと、私たちの意識には、大きくは顕在意識と潜在意識という二つの側面があり、自分がそれを顕在意識でなく潜在意識で望んでいるかどうか？を確認してほしいからです。

顕在意識は、ふだんから自覚できている自分の思考や感情など。

潜在意識は、自分では気づきにくい、心の深層にある思考や感情です。

私の感覚では、「恋愛」について顕在的に望んでいるものって、自分の保身みたいなものやまわりからの評価が混じっているものが多いように思います。

たとえば「結婚相手はこういう職業がいい」とか、何もないところからぽっと思い浮かぶのは、潜在意識から出てきたものでしょう。そのときまわりの評価とかは考えていないはずです。

でも、顕在意識からの望みだと、「こういう男性だと世間的によく思われるんじゃないか」みたいな、何か余計なことを考えている感じがあるはずです。

よく「年収一千万以上の男性と結婚したい」という女性陣をお見かけしますが、それは顕在意識から出ている方がほとんどで、自分がお金で苦労したくないとか、そういう夫をゲットできたと自慢したいとか、そういう思いが入っているんですね。

それよりも単純に、「一緒にいてただただ楽しい人」とか、たとえば「昔から自分が警察官という職業に憧れていたから、それに近いお仕事の人がいいな」とか、心の奥底から湧き上がってくるものや直感的に浮かんだことをオーダーには書いてみてほしいです。

心から愛し合っている同士なら男性も頑張ってくれるので、職業が何であろうと結局年収が上がっていきます。また、たとえば、お相手の職業に関してのオーダーで、医者とか弁護士とかがあったとします。

「お医者さんが命を救う姿に感動する」とか「弁護士さんが困っている人を助

ける姿にグッとくる」とか思えるなら潜在意識も入っていると思いますが、「年収がいいから」とか「その職の人がパートナーだと周囲の人に言ったら自慢できそうだから」とかなら完全に顕在意識というか欲が出てしまっているので、微妙です（苦笑）。

だから、潜在意識と顕在意識のどちらが望んでいるのかを、常に自分に確かめてみるように気をつけてください。

ちなみに、私が何よりも大切にしていたオーダーはこれです。

「自分がすごく大好きな人から信じられないくらい愛される」

これは潜在的に望んでいたというか、心底から望んでいたことであり、私はそれさえクリアできればいいと思っていました。

でも今の夫と出会ってみたら、見た目や性格、職業、どれもみんな理想以上でした。

とにかく自分の中で譲れなかったのは、超愛している人に愛されるということ。次に重視していたのが、10歳ぐらい年が離れていることと、バツイチであることで、そのように宇宙にオーダーを出していました。

そうしたら、夫は本当に私を「可愛い、可愛い」と言って大切にしてくれる人で、しかも9歳年上でバツイチだったんです。

なぜその条件が大事だったかというと、私の中では、「愛でてくれる人」、なんならワンちゃんみたいに可愛がってくれる人がすごくよくて、「そのくらい愛されてみたい」という思いが、心の奥底から湧き上がっていたからです。

それだったら年齢が離れていたり、一回失敗しているくらいの人のほうが大切にしてくれるだろうとふと感じたことがあって、あまり一般的じゃないかもしれないけど、そういうオーダーになりました。

しかしながら、このオーダーも私が表面的に望んだものであったら叶っていなかったと感じています。

ですから、「深層心理の願い」をオーダーする。はかなり大切なので皆さんはぜひ覚えておいてください。

ちなみに元彼は、中学生の頃は生徒会長で優等生、頭がいいビジネスマンでした。

夫になった人は、気性が激しいところもありますが（若い頃は渋谷でよく喧嘩をしていたそうです。怖ッ！笑）、弱いものに優しく、自分で生きる道を切り開いてきた人です。

表面的な女性のエスコートとかは元彼のほうが上手で、夫は一緒に歩いていても、気がつくとスタスタ先に行ってしまったりする人で、タイプとしては逆ですし、一般的に見たら、女性をキレイにエスコートできる元彼のほうが〝いい男〟かもしれません。

でも、私が惹かれたのは夫の人間的なウソのなさで、「あら？」と思うことがあっても、「天然でやっているんだな」とわかるから一緒にいてむしろ面白いです。

だから、ステレオタイプな「理想の人」や「幸せな生活」にとらわれないで、自分の気質に合ったオーダー、「自分はこれがいい！」と心から思えるオーダーを出してください。

それができれば、宇宙は必ず流れをつくってくれます。

7《コツ》 外見を変える順番も下から上へ。皮膚に近い部分から変えて、幸せセンサーを磨く

恥ずかしいことを告白しちゃいますが、恋愛がダメだった頃の私は、下着はなんでもいいタイプでした（笑）。

「見せる場面がなければなんだっていいじゃない」と思って、ほつれていようが軽く穴が開いてようが気にしなかったんです（笑）。

それが変わったきっかけは、叶姉妹でした。

あの飛び抜けた宇宙人的な感性が好きで、ブログやSNSで彼女たちの発信をよく見ていたんですね。

そうしたら「私は、一度着た下着はもう使わない」みたいなことを仰っていて、「女性はそれくらい自分を高貴に扱わないとダメだ」と言われているよう

で、もうそれがすごく衝撃的で、私と真逆だなと感じたんです。

私と真逆の叶姉妹は、いくつになっても、あれだけ素敵な男性（グッドルッキングガイ♡）が周りにいる人たちです。

それなら一回言う通りにしてみようと思い、自分を高貴なものとして扱う意識で下着をいいものに変えるようにしました。

すると、自分が「いい女」になったような気がしたんです。

「私、そういう下着をつけてますけど？」みたいな、静かな自信を持つことができたし、服ももうちょっといいもの、可愛いものを着てみようというふうに内面からの変化があって、お出かけしたくなったり人に会いたくなったりと意識が変わり始めました。

こんなふうに身に着けるものを変えていくのも順番が大切で、やっぱり下から上、深層から表層なんです。

だから身に着けるものなら肉体に近いもの、下着から変化をつけるのが正解だと私は感じています。

実際に現実が変わったかどうかが自分ではわからなくても、「お出かけしてみようかな」と、自分の内側が変わり、ポンと動けるようになったりする。

そうすると一気にいろいろ変わっていきます。

その頃の私は、お休みの日であったり、誰にも会う予定がなくても実験的にTバックとか履いていたりしました。

恋愛やパートナーに縁がないときは、だいたい逆の人が多いと思うんです。服はきれいだけどパンツはよれよれ、みたいな（笑）。でもそれはやめることをおすすめします。

後づけで知ったことですけど、やっぱり下着はすごく重要で、皮膚のタンパク質が、身に着けるものの材質とか色まで認識できるらしく、赤やピンクを身につけているとセクシーな体つきになったりするらしいです。また、女性ホルモンがよく出るようになって、それを男性がキャッチしてくれるとか。なのでぜひ、日頃から素敵な下着を着けてみてください。

ただ、いくら素敵なデザインでも、見た目の質感がよくても、着心地の悪いものはやめたほうがいいです。肌がこすれてガサガサになるような下着は避けましょう。心も体も快適になれるものがいちばんです。

コツ8　「全世界の男性から好かれる」が大前提

この後出てきますが、マンガの純子さんは、会社の男性全員に頭をポンポンされることを想像して、キュンキュンしています。

私自身がやっていたのは、「全世界の男性から愛される」という壮大な設定です。

基本的に世界中の男性から愛されるという大前提があったうえで、大好きな人に信じられないくらい愛されるというオーダーを出していたんです。

その設定で、当時の私が毎日どんなことをやっていたかというと、街を歩いているときにすれ違う男性たちが、全員私を好きになってプロポーズしてくるのを想像していました（笑）。

ああ、この人たちに告白されたらどうしよう。普通に歩いてくるそこのカッコいいお兄さんに告白されたら、なんて答えよう？とか、真面目に一人で勝手にドキドキしていたんです（笑）。

そこのおじいさんからも、「ねえちゃん結婚してくれ」って言われちゃって、悪いけど「無理です」って答える……みたいな場面も設定していました。

その当時はもうどっぷり妄想に浸かっていて、外に出るのが大変でした。だって、会う男性、会う男性、みんなに好かれてしまうんですから（妄想の中で。笑）。

でも、この妄想をしながら「愛され波動」「モテる波動」を出してからのほうが、男性から告白される機会も増えたし、明らかに現実に変化がありました。

ですのであなたも、実験の意識を持って、それくらい突き抜けた想像をしてみてください。

想像するだけなら誰にも迷惑をかけないし、歩いているだけでキュンキュンして幸せになって、「愛され波動」でいられる時間を1日に何度も味わえます。

これは、恋愛の引き寄せ力を高めるのにすごく重要なポイントです。

自分がかかわるすべての男性や、全世界の男性に愛されるほどの存在なら、当然、大好きな男性からも愛されるに決まっているからです♡

コツ 9 ご縁がある人↓出会っている以上はご縁がある

「ご縁がある人の見分け方を教えてほしいです」と、YouTubeなどでもよく聞かれるのですが、前提としては、どんな人とも出会っている以上はご縁があると思います。

ただ、「今後も続いていくご縁」という意味では、「お互いに支え合える」「助け合える」というのがいちばんの肝じゃないでしょうか。

一人ひとりの得意分野があって、自分にはないところがあれば、支え合って1個のチームとして前に進む、それがご縁の神髄だと私は思っています。

恋愛の場面でも、自分たちの関係にそういうものがあるかどうか見抜くことが大切だと感じていて、逆に一緒にいて気持ちの落ちる人、悪い意味で感情や波動が乱れる人とは長く一緒にいるのは難しいと思います。言葉遣いなのか態度なのか、どの要素なのかはともかく、傷つけあうような関係性なのであれば「御縁がある」とは言い難いでしょう。

あと、許し合えるかどうかも大事なポイントです。

いくら気が合っても好き同士でも、一緒にいればケンカしたり、お互いに悪気無く、意図しないで傷つけあうことも必ずあります。

そのときに、お互いに相手を許して前向きになれるなら大丈夫。そういう相手とは一緒に成長していけるからです。

また、「すぐそこに運命の人がいる」とか「灯台下暗し」みたいな話もありますが、実際はそれも人によるかなと思います。

私の場合、夫と出会った瞬間にピーンと来たわけではありません。

彼のほうは、私と初めて会ったとき、「この子と結婚するとすぐにわかった」

と言っていますが、当初の私はそこまで特別なものは感じませんでした。

でも「イケメンだし、けっこう話、合う人だな」、「食の好みや笑うタイミングなどが合うな」というのはありました。

それからだんだん二人で過ごす時間が増えて、徐々に「やっぱりこの人しかいないんだな」と思うようになりました。それは、「隙だらけの素の自分」を出せる相手だったからです。

ボールペンをくれた元彼に対しては、恋愛をうまくいかせたいための浅い知識で隙を見せていまして（斜め45度の自分を見せるとか、足を組み替えるとか、表面的なハリボテ的な情報をキャッチしてわざと隙を見せていた感じです。笑）。

そうしながら、バリバリにお仕事のできる、小ぎれいな女の人を演じていました。

その元彼に素の自分を出したことはなかったので、彼は「『〇年〇組 吉岡』というゼッケンのついたジャージを着ている私」なんて想像もつかなかったと思いますし、「家でひとりで泣いている私」も、「スッピンの私」も知りません。

元彼といるときは絶対メイクを落とさなかったおかげでモノモライになったりして、本当にムリしていました（苦笑）。

　でも夫には、小手先のテクニックなど全然使わなかったし、スッピンもすぐに見せたり、自然に接することができたんです。そうやって、隙を見せられたり、素の自分を見せられることもご縁がつながっていくうえでの大きなポイントかもしれません。

コツ10 行動力が必要

「宇宙にオーダーを出した。毎日想像してキュンキュンしてる。さあ、あとはじっと王子様を待つだけだわ！」

　本当にそうだったらラクなんですが、残念ながら、それだけで望む現実を創造することはできません。

　ご縁をつかむには、行動力も必要です。

以前恋愛カウンセラーをしていたときも、今のお仕事で恋愛相談を受けていてもそうなんですが、見ていると行動力のない人もちらほらとお見かけするのですが、**時間って有限なので、失敗してもいいから絶対に行動したほうがいいです。**

その一歩が、ハードルが高い？　うん、そんな気持ちももちろんわかります。

私の個人的な意見ですけど、下着を変えると自信がつく人が多いです。

なので、コツ7で書いたように、行動の一歩は下着を変えてみるところから始めるといいと思います。

「下着にお金をかけたことがない」とか「私の下着はみーんなハダ色」とか、あまり気を遣ってこなかった人ほどおすすめです。

見ただけでときめいて「素敵！」と思えるものを買ってください。

そうやって素肌につけるものをグレードアップすると、明らかに感覚が変わります。

前に出ていくエネルギーが生まれるんです。

「久しぶりに友だちとお茶しようかな」とか、「このセミナーに参加してみようかな」とか、何かしら動きたくなってきます。

そういう「〇〇してみようかな」というものが浮かんだら、迷わず行動に移してください。そこからはずみがついて、「次はこうしてみよう」というふうに、自分で新しい展開をつくれるようになっていきます。

コツ11 実は「引き寄せ」「現実創造」は自分の在り方次第ではお金はかからない

波動を高めるのに、下着やファッションを見直すのは効果的です。

でも、「今月のお給料ヤバイ」とか「これ、欲しいけどすぐに買えない」ということもありますよね。

これはみんながぶち当たる壁だと思います。

そのようなときには無理に買わなくても大丈夫です。

だいたいの場合、そういうときに素敵な服を見つけても、頭の中でネガティブなおしゃべりが始まると思います。

「でも高い」とか、「お給料日前だし他の支払いもあるし」とか、なんなら「今の自分の体型だと似合わないんじゃないか」などのさらに要らないおしゃべりがバババババーと出てくるかな〜と。

で、そんなネガティブなおしゃべりは本当にどうでもよくて、大切なのは、「その服を見ながら自分が着ている想像をする」ことです。

これこそが、キュンキュン波動が出る大切なステップになるのですが、できそうなら、店員さんにお願いして試着だけでもさせてもらいましょう。

そこでワクワク感やドキドキ感が増すようであれば購入していただきたいのですが、〝お金〟が心配なときにはそれで帰って大丈夫です。

すると、なんとなく「あれを着てデートするんだ♪」みたいな陽気な感覚が自分の中に芽生え、「お金をためて次に行ったときに買おう♪」というふうになります。だから、一瞬でも実際にふれてみてください。

そうすると「引き寄せ」「現実創造」は勝手に始まっていきます。

また、とっても不思議なのは、それをやっていると、気に入った服と同じものや似たようなデザインのものをもらったり、出先で同じものが半額で売られているのを見つけたりすることも起きるんですね。

だから実は、本気で現実創造に取り組んでいると「たいしてお金がかからない」ときもあるのです（笑）。

だって「この服を着てデートしている♪」というイメージをしながら陽気な感情を味わっていると、その感情・波動をもって現実が創られてしまうので、その服が引き寄せられてくることが起きて、自然なんです。

ちなみに私は、服を買うとき基本的には「可愛い♪」と感じたものは即買うと決めています。お店にショッピングに行くこともあるし、ネットで買うこともあります。

あるとき、たまたまネットで「可愛い♪」と思った服を何着かカートに入れていました。

それで、購入しようとしたとき、一着だけ「ずいぶん高いな」と躊躇してしまったものがあって、「これ、引き寄せられたらいいな」と、それだけカートからはずして保留にしたんですね。

そのあと支払い画面に進んだら、「合計金額が○○円に達したからひとつ福袋をあげる」というキャンペーンがあって、後日、注文した服と一緒に福袋が届きました。

そうしたら、まさにその中に保留にしていた服が入っていたんです。

また別のあるとき、欲しいなと思った服があったのですが、そのときは別の服を買ったので、それもとりあえず保留にしていました。

すると、何かの撮影で行った先で一緒になった女性がファッション関係の仕事をしている人で、「持ってる洋服でいらないのがあるから、純ちゃん好きなの持っていっていいよ」と言ってくれたんですが……オチはもうおわかりですね？（笑）。

そうです、その中にまたしても、「欲しかったけど保留にしていた服」があ

りました♪

前に、「引き寄せ・現実創造には行動も大事」というお話をしましたが、行動しないでタナボタ的に願いを叶えようとする人がいる一方で、自分でなんとかしなきゃと頑張りすぎる人も多いのですが、何事もバランスが大事で、「宇宙に頼りきりで自分は何もしない」スタンスもイカンですが、かと言って、自分だけの力で願いを叶えようとしなくていいんです。

もっと宇宙のパワーを信じて頼ってみてください。

とくに「お金を使わないとこうならないんじゃないか」というフィルターがかかっている人が多いですが、それはすごくもったいない考え方です。

なぜなら、願望を形にするのは、思考・感情・波動だから。

自分がどこまでも自由に望んでおくことがいちばん大事です。

それができると、思いがけなくポンとそれがやってきたりします。

なぜか格安で手に入ってしまうとか、誰かにプレゼントされるとか、かたちはさまざまです。そこは宇宙がうまくやってくれるので、プロセスまで自分で考える必要はありません（もちろんすべてのものがタダで手に入ったりはしないですが☆）。

それほどお金をかけなくても、自分だけで頑張らなくても、欲しいものやそれに限りなく近いものを手に入れることはできるので、**実現したときに誰かが傷つくわけでもなく、ウソをついたり人をおとしめるようなことでなければ、どこまでも自由な発想で願いを叶えていってくださいね。**

ぜひ実験のつもりでやってみてください♪

すでにそれがあるという想像をして、そういう自分になりきって、ウキウキ、キュンキュンする。本当に大事なのはそれだけです。

コツ 12 「自分はお花だ」と思う

恋愛の「引き寄せ」「現実創造」は、「この人だ！」と思える人に出会ったら終わりではありません。むしろ始まりかと……。

あなたがオーダーしたのは、その先の彼との幸せな毎日、幸せな人生です。引き続き自分の波動を整えていきましょう。

私が夫と出会ったとき、自分でブレないように気をつけていたことがあります。

それは、「自分は〝お花〟だ」と思うことです。

花って、活き活きときれいに咲いていれば、ミツバチや蝶々や小鳥がまわりに集まってきますよね。「素敵だな」と思ってもらえるようなエネルギー体なら、みんなが寄ってくるし、追いかけられますよね。そしてその現象は「人」に置きかえることもできます。

でも「人」は〝花〟として在ることができるのに、焦って〝ミツバチ〟を追いかけていることもけっこう多いんです。

昔の私もそうでした。ボールペンの彼と付き合っていた頃は、自分が〝バラ〟なのに自分が全速力で追いかけるようなことをしていました（笑）。

そうするとどうなるでしょうか？

相手は逃げたくなります。

優雅に咲いているはずの花が怖い顔をして追いかけてきたら、逃げたくなるのもムリないですよね（笑）。

だから、夫と会ったときには、変に必死になったり、「次につなげよう」とかの意識も持たずに、どんなときもただ自分の状態に集中して、「私がいい状態でいれば彼のほうから追いかけてくる」と思っていました。

いい状態とは、もちろん波動を整えることです。

幸せなことを想像しながらゆっくりお風呂に入ったり、着心地のいい下着を着けたり、自分の心身を快適にしておきましょう。

それでも、たまに彼を追いかけたくなることがあるかもしれません。

そんなときは、深呼吸してから「私はお花」と自分に語りかけてください。意識を向けるべきは彼ではなく、自分自身の波動です。

いつも素敵な香りを漂わせて、〝花〟として常に存在していてくださいね。

私…　今までも願ってきましたけど
それとは違うんですか？
？
❤ STORY 2
「幸せのパズル」
今までよりさらに詳しくオーダーを
紙に書くのがいいですよ
ノート
スマホのメモ
詳しいオーダー詳しいオーダー
え!? どこまで書けばいいの
大丈夫コツがありますよ
コツ①
「自分の感情を震わせる」こと

本気でキュンキュンできてないときは
振動数が変わっていないので
小さいキュン♡
大きいキュン♡♡♡
感情が震える内容に変えてみましょう
「どんな人と付き合いたい？どんな結婚をしたい？」
を書いてみてください
え…と
これでは弱いですねぇ
どんな人と付き合いたい？
・優しい人
・カッコいい人
・仕事ができる人
どんな結婚をしたい？
・安定した生活
・収入に困らない
・笑顔が絶えない家庭
ええー
私いま
けっこうキュンキュンしたんですけど
これをもっと詳しくですか？

たとえば「優しい人」だけではなく、どう優しくされたら嬉しいですか？
かけた♡
コツ②
宇宙には詳しめなオーダーを!
大事なのは「優しくされる想像をしてキュンキュンする」
この状況を1日に何度もつくることです
そしてその状況をノートに書いてみましょう
マフラーまきまき
頭ポンポン
睡眠
お別れのキス♡
おやすみ♡大スキだよ
おやすみLINE
でも好きな人と毎日会えないのに…
そんな想像するの難しいですよ
ならば設定を「会社の男性」も足してみたらどうですか
会社の!?

毎日会える「会社の男性全員」からさまざまなシーンで優しくされる想像をしながら
好きな人からも優しくされるって想像するんです♡
同僚
好きな人
部長
取引先
部下
課長
社長
キュン
キュン
すごく幸せな世界ですね…!
んー…でも実際問題
そんなこと起きないですよね
そう思ってしまう気持ちもわかります
コツ③ ストーリー力をつけながら最高のイメージを!!
妄想
想像
空想
ストーリー力をつける
でも、イメージしたり、キュンキュンしたりはどこまでも自由な発想でいいんです

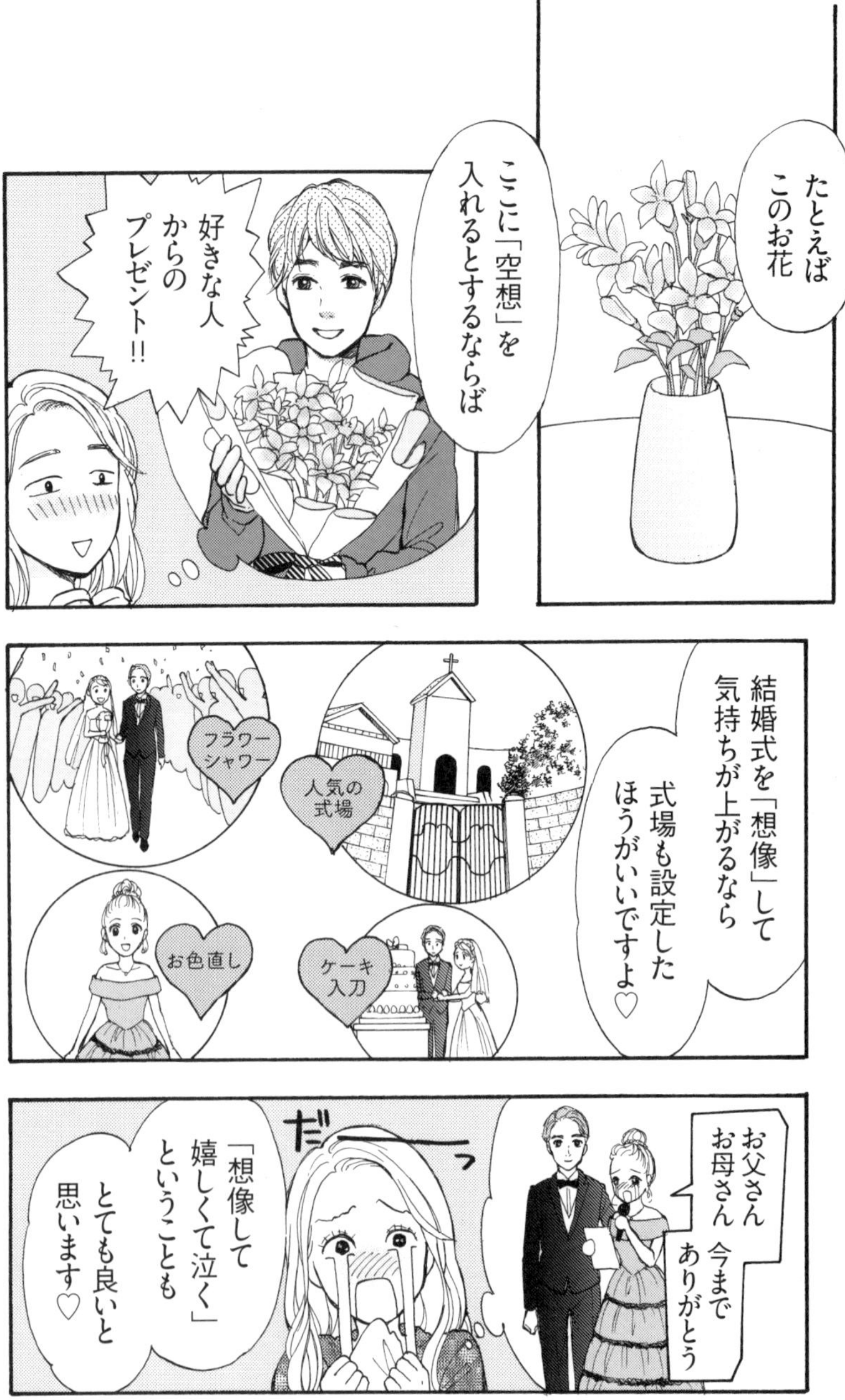
たとえば
このお花
ここに「空想」を
入れるとするならば
好きな人
からの
プレゼント!!
結婚式を「想像」して
気持ちが上がるなら
式場も設定した
ほうがいいですよ♡
人気の
式場
フラワー
シャワー
ケーキ
入刀
お色直し
お父さん
お母さん　今まで
ありがとう
だーっ
「想像して
嬉しくて泣く」
ということも
とても良いと
思います♡

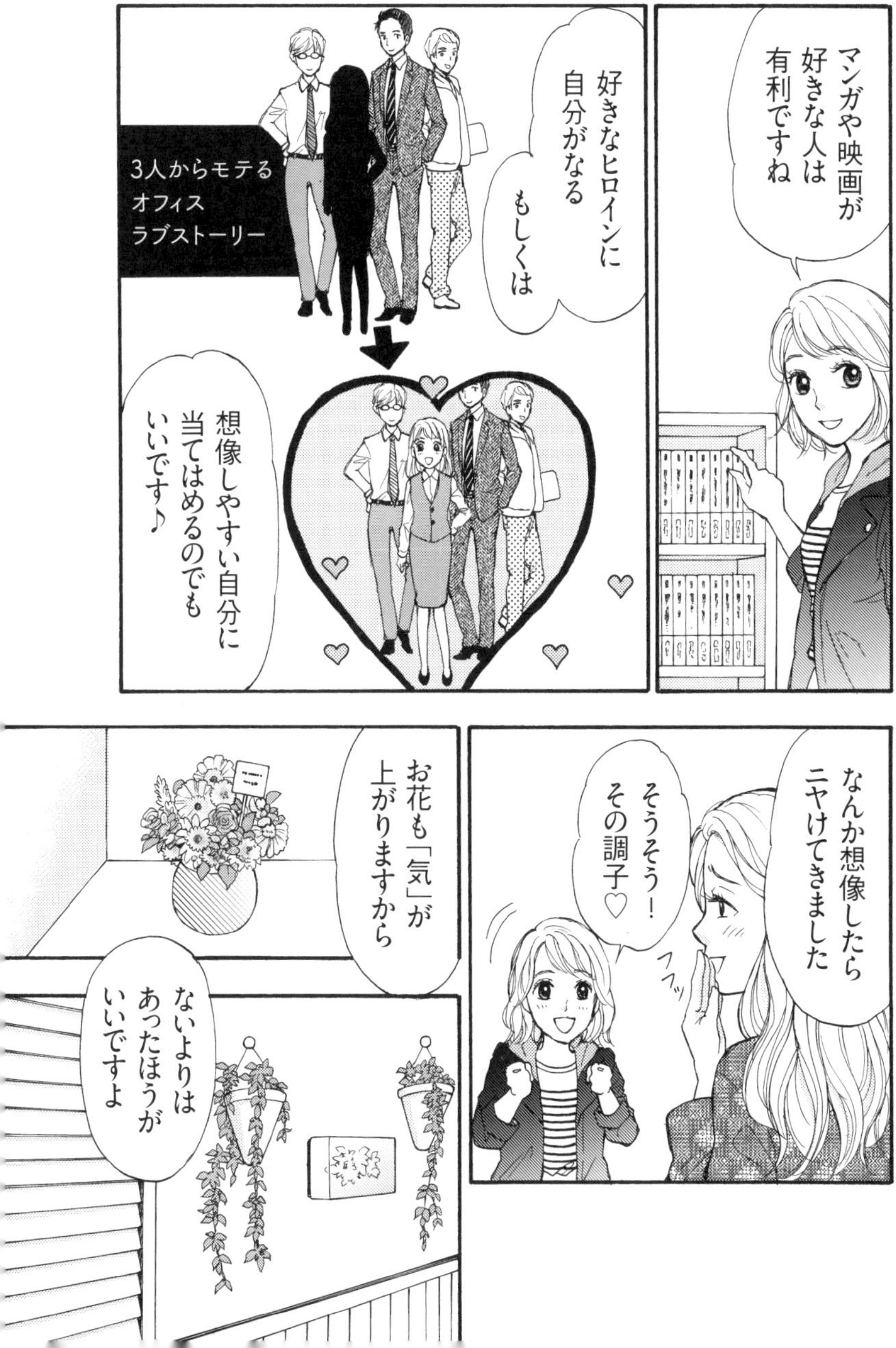
マンガや映画が
好きな人は
有利ですね
好きなヒロインに
自分がなる
もしくは
3人からモテる
オフィス
ラブストーリー
想像しやすい自分に
当てはめるのでも
いいです♪
なんか想像したら
ニヤけてきました
フフッ
そうそう！
その調子♡
お花も「気」が
上がりますから
ないよりは
あったほうが
いいですよ

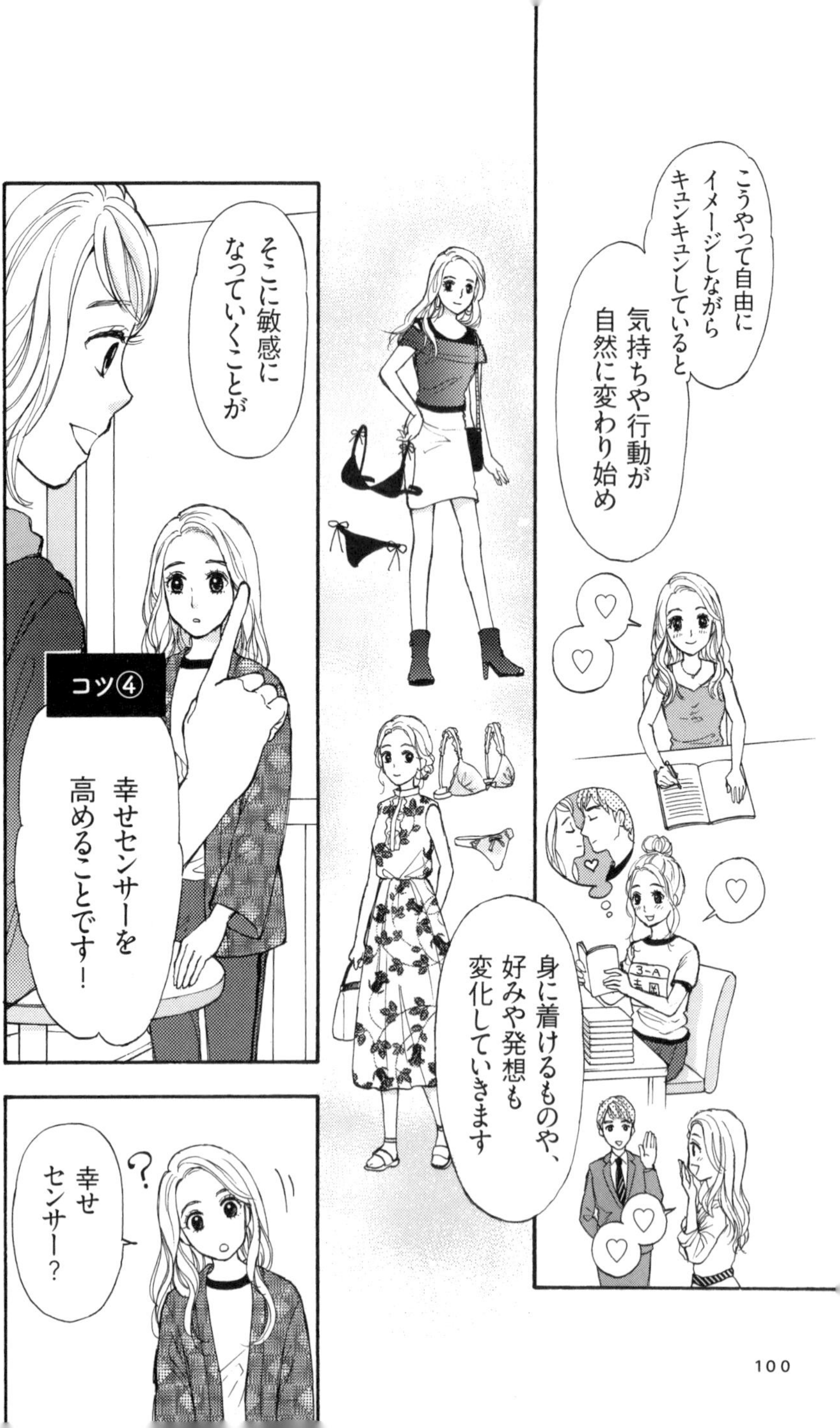

こうやって自由に
イメージしながら
キュンキュンしていると
気持ちや行動が
自然に変わり始め
身に着けるものや、
好みや発想も
変化していきます
そこに敏感に
なっていくことが
コツ④
幸せセンサーを
高めることです！
？
幸せ
センサー？

『宇宙パワーで銀河一のパートナーと世界一ハッピーになる!』
吉岡純子 著　新刊発売記念

初回配本限定
豪華2大無料プレゼント

プレゼント①

ここだけでしか明かさない極秘動画
『ダメ恋から抜け出すために必要なこと』
わかっているけれどやめられない「ダメ恋」から一刻も早く抜け出すために知っておきたいことを吉岡純子さんが教えてくれます。

プレゼント②

もっと知りたい！あなたに贈るPDF
『ネガティブな出来事が
チャンスに変わるヒミツ』
本書では伝えきれなかった吉岡純子さんからのメッセージを、ＰＤＦにてお伝えします！

どこにも販売していない
こちらのプレゼントを入手するには、

裏面をご覧ください

豪華2大無料プレゼントの受け取り方

QRコード

または

https://daiwashuppan.com/present/quest0599/index.html

からアクセスしてください。

現実創造をやっていると
どうしても視野が狭くなりがちで
素敵な男性とデートしたい!!
と、執着してしまったりするんですが、
執着は「忌み言葉」で波動が乱れるので
「幸せのパズルピース」をたくさんつくって
デートのとき、かわいい洋服を着る
髪型を変える
おいしいパフェを食べる
アイドルのライブに行く
デート前に行くであろうエステに行く
それらを楽しみ、幸せセンサーを高めましょう

もし可愛い洋服が高くて買えないときは
¥00,000!?
試着してみるだけでも〇K
来月の給料日に買おう!
データ取りをしてキュンキュンを保存しておきます
通販の場合はカートに入れるだけでも〇Kです♡
花柄ワンピース
¥12,800
カートに入れる
キュンキュンする幸せのピースを日ごろから探しておきましょう
たくさんあればあるほどいいです♪
ふだんの洋服が変わると
ふわっ

メイクや髪型も変わり
なりたい自分になってきます
彼と会うとき
友達と会うとき
私がなりたいのは…
吉岡さんカッコいい！
セクシー♪
一人で生きていけそう
ではなくて
吉岡さんカワイー♡
守ってあげたくなる

でもなぁー
ふわふわのスカートなんて私のキャラじゃないしなー
ふわっ
これ
よければ着てみてください
「でも」「だって」と思わず純粋に喜ぶことを味わう
それが幸せセンサーを高めます

可愛いー♡
えっ吉岡さんどうしたの？
イメチェンしたんですか？
すっごく似合ってます！
本当に？
よかったー嬉しい♪
その服どこで買ったんですか？
今日一緒にランチ行きません？
職場の皆から可愛いと言われ
キュン
キュン
キュンキュンも2倍増しになってます
サトシとは続いており
次の年の誕生日を迎え

このレストラン予約とってくれてたんだ
去年は仕事が入って来られなかったからな
あ、そうだ
これ誕生日プレゼント
そして…
!!

去年はボールペン だったのに
今年は ネックレス♡
着実に結婚への道に 進んでるかんじ？
ブー
着信中
悪い ちょっと 会社から
うん
はい 小嶋です
1ヵ月ぶりに やっと会えたのに
忙しそうだな
・・・！
フー お待たせ
ねえねえ 提案がある んだけど

私たち
一緒に住まない!?
——…サトシ?
どしたの急に
だってホラお互いに忙しくて1ヵ月に1回しか会えないでしょ?

COLUMN

1

現実化の始まりについて

「大好きな人に信じられないくらい愛される」というオーダーを出して、想像や妄想にふけっていた頃、私は「とても人気のある某芸能人と付き合ってるモード」の設定もして楽しんでいました。

そうしたらある日、「こんな所で会うわけないよね」と思うような場所で、その本人が目の前に現れたんです！

その体験をしたことによって私、この後、すごいことになるぞ。そう思えて、やはり波動の高い感情を味わいながら、想像を続けていると現実は創られるんだ！　と、パーッと希望が広がりました。

そして、「私、〇〇さん見ちゃったし～」なんてすごくいい気分でいたら、見た目の雰囲気が彼と近い感じの、今の夫と出会ったんです。「こんなことって起きるんだ!」というくらいすごい展開でした。夫とは、起業している人たちの懇親会で出会ったんですが、たまたま二人になる機会があって意気投合。それからは早かったです。彼に付き合ってと言われてデートしたらもう初日から「結婚してほしい」と言われ、最初は警戒していた私も、彼の人柄にふれて早々にそれも解け、半年ぐらいで結婚しました。

「私って、本当にお姫様扱いされるんだ」としみじみ思わせてくれる夫です。これらの体験は「某芸能人と付き合っているモード」でさまざまな想像を楽しんでいなかったら現実化してなかったはずです。

想像の中で見ていた世界は本当に体験できる。その現実化が始まったのは、まぎれもなく、あの某芸能人に遭遇した瞬間だったと思います。

第 3 章

焦りは禁物!ここが大事!

「オーダーが届かない」ときの身の処し方

コツ 13 現実創造を思い出す

「私のオーダー、宇宙に届いてないのかな？」

大好きな人に送ったＬＩＮＥを既読スルーされてしまったとか、自分の期待した通りの反応が大好きな人からないと、ついそんなふうに思ってしまいますよね。

そもそも相手に期待しないでね、というのもひとつのポイントなんですが、そういうときにいちばん大事なのは、現実創造の基本的な考えを思い出すこと。

その現実は単純に、今の時点から見て、「私自身が過去に考えていたこと」「過去の自分が発した波動」が創ったものだと気づいてもらいたいです。

そうしたら、次は「その現実」と「今の自分」を切り離す作業がすごく大切で、「その現実」にのまれて陰気な感情をズルズルと味わうのではなくて、「じゃあ私は、ここからどんな現実を創りたいのかな？」と、自分に問いかけてみましょう。

よくあるＮＧパターンは、その現実にのまれてしまって感情が過度にネガティブになり、必要以上に相手を追いかけて、さらに拒否されて傷つくというもの。

また、「もしかして今、他の女の子と会っているのかな？」とか、「本当は何人も付き合ってる子がいるんじゃないの？」とか、勝手に妄想を広げ、さらに苦しくなって、その状態で彼を責めて余計嫌われてしまったり。

はたまた変に焦って「もっと好かれるために！」と、小手先に走ってチラリズムとか、よくわからないことをやってしまったり……。

ぜひとも、そうなる前に立ち止まってほしいです。

「宇宙にオーダーを出したら、自分の感情・波動を整えることが大事」だということを、これまでにも書いてきました。

「もう無理かも」と不安を感じていたとか、うまくいっている友だちの話を聞いて「私だけ取り残されたらどうしよう」と焦ってしまったとか、たぶんそんな感じの波動を、以前に放っていたから、その現実が創られたのかもしれません。

でも、大丈夫です。

もし、「今」目の前の現実がネガティブなものとして映っていても、「これは、前に私が考えていたこと、『こういうことが起きないでほしいな』と潜在的に思っていたことが創られちゃったんだな」と、それだけ理解しましょう。

そして、改めて、「私が創りたい現実はこれなんだけどな」と、想像し直してあげて、それに連動させて喜ばしい感情をしっかりと味わっていく。それだけやってみてください。

自分で書いたオーダー表を取り出して眺めたり、改めてオーダーを出してみるのもいいですね。

そして、心からの望みが叶った場面にいる自分になって、「うれしいな」「楽しい」「もう最高」「幸せ！」と、いっぱい心を震わせてください。

そうやってちゃんと波動を切り替える作業ができれば、宇宙はそのオーダーを受け取ってくれて、ちゃんと新しい現実創造が始まります。

コツ14 落ち込みを切り離すためには ちょっとずつ波動を上げていく

コツ13の続きになりますが、「気持ちを切り替えて喜びの波動を」といっても、感情がずーんと沈んだときに、突然感情を喜ばしいほうにもっていくのはなかなか大変ですよね。

「ずーん」の状態で「結婚して超ハッピーな自分」を想像しようとしても、やっぱりムリがあります。

なので、ちょっとずつでいいです。

沈んでいる感情があるときは、「ちょっとずつホッとする感じ」にもっていきましょう。

「創りたい現実はこれだ！」と気づいたら、その感情を味わう前段階として、ちょっとしたごほうび的なことを〝自分〟に与えてあげながら、ホッとする。

をやってみてください。

心を落ち着かせるために大好きなおやつを食べて「おいしい」と味わうとか、ペットを可愛がってホッとするとか、そういうことをやってみてください。

とくにワンちゃんなどの動物は助けになってくれます。なでるだけでも心がなごむし気持ちが落ち着きますよね。「いてくれてありがとう」って感謝も湧いてきます。これはもう大きな喜びの波動です。

そうやってちょっとずつ段階を上げていくことがすごく大切です。

マンガにも出てきますが、お風呂に入ってホッとしたりぐっすり眠ったり、それだけでも違ってきます。体を清潔にしたりきちんと休息を取ることも、波動を上げるのにとてもいいのです。

あ、あともうひとつ、注意点を☆

そういうふうに波動をいい状態に保っていたら、お相手からのリアクションが一気に変わると思っている人が多いですが、それが起こることもあるのですが、それが起こらないこともあるので、そのときには変に焦らないでください。

「コツ4：幸せセンサーを高める」でもお話ししたように、自分の波動が上がってくるとどうなるかというと、まず「パズルのピース」みたいなものが現れ始めます。

自分がちょっとずつ変わってきて、素敵な結婚生活とかを楽しく想像できるようになって街中を歩いていると、将来のデートに着られる可愛い服や、笑顔のカップルに出会い始めたりするんです。

それらを目にしていることこそが、現実が良き方向に展開している証拠なのにほとんどの人が彼からのリアクションにしか焦点が当たっていないので、「なかなか期待したような反応がない」と、キーッとなるんですね。

でも人は突然変わったりしないし、その状態は自分自身も波動が日々乱れているので、望む現実がストレートに現れないことも普通にあります。

ですから、いろんな小さいピースを集めながら喜んでいる中で、ちょっとずつ彼のリアクションが変わってくると思ってください。なので、そこで焦らないでほしいです。

落ち着いて、まわりで起こる小さな変化を楽しみながら、彼からの反応も、「この先に現れるピースのひとつ」ぐらいにとらえておくと、いいと思います。

コツ15　いかなるときもコントロールは禁物

波動を少しずつ上げていく段階で、もうひとつ気をつけたいのは、「焦って小手先のテクニックに走らない」ということです。

このお話は、世の中で恋愛テクニックを教えている方々をディスりたいわけではなく、単なる「宇宙の法則」「理想の現実を波動で創りたいときには」という視点からのお話なのですが、「望むような反応をもらうために、こうしてみよう」みたいなテクニックに偏ると波動が乱れる人が実は多いのです（汗）。

それをやり始めると、ＬＩＮＥの文章なども作っては消し作っては消し、みたいな感じで追い込まれてしまったり、私もすごくやりましたが、「スルーされないために、ああしてこうして」「あ、またスルーされた」とか。

そんなふうだと、コントロールの波動が出るので、お相手も気が重くなります。「なんとしてでも自分の理想の行動、言動をとらせよう」みたいな波動が出て、かえって抵抗されちゃうんですよね。

そう、要は、そのようなテクニックも、感情が乗っているというか、純粋な思いから出たものなら問題ないのですが、純粋な思いではなくて、相手を思いどおりに動かすためのテクニックだと、かなり微妙なんです。

私自身は、ボールペンをくれた元彼のとき、「ゴージャスなプレゼントが欲しい」という波動を出しまくったんですが、それに抵抗された結果、真逆のものが来ちゃいました。

そのときは「え〜っ、こんな適当に扱われるんだ！」と思ってショックでしたが、引き寄せを学んでいく中で、「ああ、私が彼をコントロールしたから、あっちは抵抗したんだな」とわかりました。

誕生日を迎える前、私はハイブランドの指輪が欲しいと思っていたので、それはもうわざとらしいことをしていました（笑）。

雑誌をカバンにしのばせておいて、彼と一緒にいるときに「あ、こんな所に雑誌が！」とか言いながら、指輪のページをパラッと開いて「わあ、ステキ」（チラッと彼の顔を見る）とか、「友達が彼氏からこういうプレゼントもらったんだって、いいなー」（チラッと彼の顔を見る）とか、そりゃあもう元彼が豪華な指輪を買ってくれるように、めちゃめちゃコントロールしていました（笑&泣）。

「私はこれが欲しいです」とただただ素直に言えばいいだけだったのに、これ見よがしに彼に買わせようとして、向こうはそれが相当イヤだったから真逆のものが来たんでしょうし、今思えばその投影からか、日常では私のほうがコントロールされていました。

「いい子」だとずっと言われて、いい子を演じないといけないと思っていたので、もっと会いたいとか寂しいとか、本当の気持ちを言えませんでしたし、思うようにデートできなかったのも、いつも彼の都合ばかり優先することになったのも、自分がしていたことが返ってきていただけだったんです。

そんな自分を変えようと決心してからは、望まないことが起きても「こういうことなのかな」と自分を切り替えるようになったし、小手先に走っていた自分流の恋愛論も変えようと思うようになりました。

次の年、元彼からプレゼントされたのはティファニーのネックレスでした。

最終的には別れてしまいましたが、前年のボールペンからすると大前進したな〜と♪

別れて以降その元彼とは一切会っていませんが、「『引き寄せの法則』『現実創造』と出合わせてくれてありがとう！　あなたのお陰様で幸せな結婚ができたんだよ〜^^」と、いつか御礼が言いたいです☆彡

「いかなるときも、相手をコントロールしようとしない」

私は数々の失敗からこれを学びましたが、あなたにはなるべく同じ失敗をしないでほしいです。

だから、もし自分の中に「どうやって彼を自分の思いどおりにしようか」みたいな考えがあったら、ここで潔く捨てちゃってくださいね。

コツ 16 期待しない練習をする

私の夫は、私が言ったことを全部叶えてくれる人です。

「この服、着たいな～」とか言うと、隣ですぐ検索してその服を探してくれていたりします。

なぜそんなに快く私が望むことをやってくれるのかというと、私が彼に期待したりコントロールしようと思っていないからだと感じています。

これが欲しいなとか、ここに行きたいなとか、いつも湧き上がった言葉をポンと出しているだけなんです。相手に動いてもらいたいとかじゃなく、ただ心の声を「声」に出しているだけなんです。

きっと願望の純度が高いから、相手も「あ、そうなんだ」と自然に動いてくれるだけなんだと思います。

そういう意味で、人に期待しない練習は必要かもしれません。

恋愛に関して相手に期待しないのはけっこう難しいと思いますが、練習をしておくのはおすすめです。

私の経験だと、むしろ人に期待しなくなってからのほうが、期待以上のことが起こるようになったという感覚があります。

数カ月前にも、仕事のスケジュールを詰め込んでいたときがあって、すごく疲れていて、「も〜、どこか旅行に行きたい」と一言つぶやいたら、夫がすぐに調べてくれたらしく、伊豆の素敵な宿を予約してくれました。

「すごく人気のある宿でさっきまで満室だったけど、一室だけ空きが出たから行こう！」と言うので喜んで行ったんですが、宿の人が言うには、半年から1年先まで満室で予約がとれない状況だったのに、たまたま私たちが行きたい日に一組だけキャンセルが出たんだそうです。

キャンセルが出てすぐに彼が予約を入れたので、宿の人は彼がずっとホームページに張りついていたと思ったらしいんですが、彼が「そうじゃなく、たまたま見た」と言ったら驚いていていました。

私たちも「こんなことってある？」と驚いてしまいました。

期待しないでいると、こんな想像以上のことが起きるんだなと感じました。

だから、無邪気に「あれ、欲しい」みたいな、子どもたちの望み方をまねるのがいちばんいい気がします。

「これ欲しい～」と言って、欲しいものをいとも簡単に手に入れているような子ども達の多くは、それが天然でできているのだと思います。

あと、私の場合、疲れて癒されたいときに夫がすぐ動いてくれたりするのは、夫と出会う前に出した「大好きな人に信じられないくらい愛される」というオーダーも、反映されているのかもしれません。

コツ 17 良い悪いのジャッジをしない

昔の私もそうでしたけど、多くの人は、うれしいことや思い通りになったことは「良いこと」、モヤモヤすることや思い通りにならなかったことは「悪いこと」と判断してしまいがち。

あるいは、目の前の出来事で、自分に価値があるとかないとか判断してしまったりしますよね。

でも、それは自分の主観で意味づけをしているにすぎません。

本来、今ある出来事はそんなふうにジャッジするものじゃないし、二択で見るものでもないんですね。

前にも言ったように、**「単に、過去に発していた波動がこれだった。それだけの話だ」と受け止めればいいだけで、それに気づくと切り替えが上手になります。**

どんなときも、その現実を創っているのは自分の波動。

これはゆるぎない宇宙の法則です。

だから、目の前の出来事を見て「最悪！」と思ったり、自分を責めてしまいそうな自分に気づいたら、できるだけ早く切り替えましょう。

そういう思考はどうしてもネガティブな感情とセットになるので、その波動で未来の現実が創られてしまいます。

そのときの現実を、良いとか悪いとかジャッジしないで、「過去の私の波動が創り出したんだな」と、そのまま受け止める。そして、今の自分はどんなオーダーをしたいのか確認して、想像し直して、自分の波動を整える。これを繰り返していくことで、私たちは望む現実をラクに創れるようになります。

ただ、そのプロセスで、どうしてもグラつくことはあるかもしれません。「やっぱりダメかも」とか「私なんて」とか、ネガティブな感情がむくむく出てくることは、誰にでもあると思います。

私も、かつて「願望実現とか、自己啓発とか、なんでこんなにいろいろやらないといけないの。何もしてない（ように見える）のに幸せになっている人もいるのに！」と、すごくネガティブになったこともありました。

落ち込んだり、情緒不安定になったりするのはしょっちゅうでした。元々、すごーく陰の感情・波動が強い人間だったので……。

でも、同時に「やっぱり幸せになりたい！」っていう気持ちも強かったんですね。それも自分でわかっていたので、素敵な現実を創造することを投げ出そうとは思いませんでした。ネガティブとポジティブを行ったり来たりする日が続く中、転機はふいに訪れました。

あるとき、自分の「不安な気持ち」も「幸せを望む気持ち」も、否定しないで「そう感じて当然だよね」と丸ごと受け止めることができたんです。

ここで、一皮むけたと思います。

陰に傾く自分と陽に傾く自分、その両方の自分・感情を受容したことで、自分の軸が定まった感覚がありました。そうすることで、深いところで改めて自分を愛せるようになったし、宇宙を信頼できるようになりました。

すると、どんどん現実が良き方向に動き出したんです。

だから今は自信を持って言えます。

ネガティブな感情を無理に消そうとする必要もないし、その状態の自分がいても別に「ダメ」じゃない。

その自分を受容さえすれば、ちゃんと引き寄せだってできるし、必ず幸せになれます。

とはいえ、「引き寄せ」「現実創造」をやっていくプロセスで、目の前の現象に良い悪いのジャッジをする必要はないと理解できても、感情面の浮き沈みがまったくなくなるわけではありません。

人間なんだから、それは当然ですよね☆

なので、ネガティブな感情を味わっている時には、そこから変に逃げ出さずに「そうだよね、不安だよね」と、ありのままに受け容れてあげてください。

そうすることによって、少し感情がホッとしたり落ち着いてくるので、その時点で、改めて幸せな想像をしてその感情を味わってみてください。

これを日々繰り返していけば、必ずあなたはあなたの望む現実を創れます。

コツ 18 自分が発している波動を確認する

自分が過去にどんな波動を発していたかは、単純に、自分が今見ている景色がどんなものかで確かめられます。

自分がどういうふうに人から扱われているか、どんな言葉をキャッチしているか。大切にされているか、適当に扱われているか、うれしくなる言葉をもらっているか、腹が立ったり悲しくなるような言葉をもらっているか。

そこを見れば、過去に自分がどういう思考をしていて、どのような感情を味わい、どのような波動を発していたかがわかるんです。

「元彼に指輪をもらおうとしたのに、ボールペンをもらってしまった」という私の経験などは、本当にわかりやすいのですが（苦笑）、「この指輪、よろしくね」とコントロールする気満々でそのような波動を発していたから、「ボールペンでよろしく」と、逆にコントロールされました。

また、自分が発した波動がどれくらいのタイムラグで現象として現れるかということも、注意深く見ていくとわかるようになります。

私自身、実験のつもりでそこをすごく意識していたことがあるんですが、当時、「恋愛」に関しては、自分が発したものがだいたい1週間〜10日位で現れていました。

「あ、この心細さを感じる展開は、1週間前に彼とケンカして泣いたときに想像していたあのシーンから来てるんだ」とか、「やたらと不運なことが続くのは、先週イライラして、何日もネガティブなことばかり考えていたからだ」とか。

「過去にその波動を発したときと同じ感情を、また味わっている」ということが、嫌というほどわかるようになったんです。

発した波動が現象として表れるまでの期間は人によって違うし、同じ人でも変化していくので、よく観察してみてくださいね。

そう、波動の答え合わせをするには、観察が必要になります。実はこの行為が心の安定にも役立つんです。

自分自身や出来事を冷静な目で見ることになるので、「望まないこと」が起こってもネガティブな感情に引きずられなくなります。

逆に、うれしいことや楽しいことがあったら、その前に自分が明るい波動や前向きな波動を発していたということなので、「あれでよかったんだ」と確認できますね。

望まないことが起きたら、すぐに波動を切り替える。

うれしいことが続くなと思ったら、その波動をキープする。

これを習慣にして、自分の波動をうまくコントロールできるようになってください♪

コツ 19 基本的にあがくようなことはしない

自分の波動が変わってきたのは感じるけれど、彼との関係がしっくりしない。

一歩関係を進めようとしても、のってくれない。

そんな状況のときは、それを受け入れながら波動を整えるように自分を持っていくのがいいのか、それとも「このままじゃイヤだ」と行動するのがいいのか？と迷うこともあると思います。でもそれは一人ひとりの状況によるので、簡単に「こうすべきだ」とはいえないです。

ただ、基本的にどんなときも、あがくようなことはしてもらいたくないです。

たとえば、プロポーズをしてもらいたいけど、その現実が創られていなくて、その瞬間に自分の内側で「なんでだろう?」と思ったら、変にあがくのではなくて、それを素直に表現してみてほしいです。

相手をコントロールしようとするわけでもなく、単純に自分の中に湧き上がってきた感情や声は、なんでも素直に外に出してみてほしいんです。

それでお相手から期待通りのリアクションがなくてもいいんです。

「私はあなたと結婚したいからプロポーズしてほしいと思ってたんです」

そういう純度の高い言葉だけ伝えるようにしていると、結局はそちらの方向におさまり始めることもあります。仮にそこでそのお相手と、結婚のご縁がなかったとしても、正直になった自分を誇らしく感じると思います。

そしてそのような在り方になれてはじめて、さらに素敵なパートナーと出会え、より素敵な恋愛ができるということは絶対に忘れないでくださいね♡

コツ20 自分にウソをつかない

「あがくことはしないで」という話の続きでもありますが、自分にウソをつくこと、これもNGです。これは最初からずっと言ってきましたよね。

期待通りに相手が動いてくれないとき、「あなたなんていなくても幸せよ」みたいに強がったりするのは絶対にやめたほうがいいです。

お相手の気を引くために、返信をわざと遅らせるとか他の人の存在をほのめかすとか、ついやってしまいがちですが、それで相手が追いかけてくれるかというとだいたい失敗します（そのような恋愛テクニックを否定しているわけではないのですが、波動の法則としては、変にコントロールの意識を持ち乱れた波動を放ってしまうとだいたい失敗する感じです）。

お相手に期待以上の接し方をしてほしい、想像以上に愛されたいと感じたのなら、負けを認めるというか、その心境をお相手に正直に気持ちを伝えてみてください。

「私はあなたに愛してほしいです」「くやしいけど好きです」と、正直に純度高く言えば、相手もちゃんと本気で話をしてくれます。

「自分から言うなんてカッコ悪い」「彼のほうからプロポーズしてもらいたい」などという人もけっこういますが、相手との関係がうまく進まないときにそこにこだわっていると、望む現実を創るのはけっこう難しいです。

なぜかというと、「いつになったらしてくれるのかな」というところにフォーカスしているので、「いつ？　いつなの？」と思う現実が創られ続けてしまうからです。

今のモヤモヤする状況は、自分のそういう「いつ？　いつなの？」という思いを抱き続けた結果なんだと気づいて、自分の本当の気持ちに素直になりましょう。

ジリジリ待つくらいならストレートに相手に言ったほうが早いし、結果はどうあれ、その真摯な思いはちゃんと相手に伝わります。

仮にその真摯な思いが伝わらないようなお相手ならば、「こっちから願いさげじゃ！」くらいの勢いで離れてみると、自分の真摯な姿勢の投影として、真摯に大切に接してくれるパートナーに出会えたり、後日離れたはずのお相手から連絡が来て、改めて真摯なお付き合いが始まったりと、面白い展開が見られます。

コツ21 浄化習慣
お花を部屋に。お塩のお風呂に入るといい

波動を高く保つために、浄化の習慣を持つことはすごく大切です。

とくに恋愛ってどうしても粘着質になってしまうことがあるので、ほうっておくと、ドロドロ波動が相手に飛んでいってしまいます。

なので、そういう執着やドロドロした気持ちを洗い流せる強めの浄化法、身を清める方法を持っているといいです。

まず、なるべくお花は身のまわりに置いてみてください。

バラじゃないとダメとかそんな決まりはないので、自分が好きできれいだと思うもの、飾って気分がよくなるものを選んでみてくださいね。

部屋にお花があると心が癒されるし、お花を見ながら「私はお花だ」と繰り返し思うことで、その感覚をより強められます。それは心の余裕につながります。あと、塩風呂もとてもいいです。

お塩をひとつかみお風呂に入れて、全身で浸かります。

お塩は自然塩がおすすめですが、状況的にそれを用意するのが難しい方は、キッチンで使っているお塩でもいいし、市販の香りのついたバスソルトでもいいと思います。恋愛に効くといわれるローズ系の香りなら、浄化しながら性的な魅力も高められてバッチリです。

コツ 22 弱い自分を認める

「『引き寄せ』「『現実創造』を成功させるためには、強い私にならないといけないの？」

そんなふうに思う人もいるかもしれませんね。でも、それは一歩間違えると危険。かえって幸せを遠ざけることになるかもしれないからです。

誤解のないように言っておくと、「強さ」というものが「人として芯がしっかりしている」という意味や、「人としてメンタルが強い」という意味なら、そのほうがいいです。

でもそうではなく、意地を張ったり、ムリして強くなろうとするのは絶対にやめましょう。誰だって弱気になるときはあるし、人は一人では生きられないし、時には人に頼りたくなるときもあると思うんです。それを素直に表現するのはすごく大切なこと。

自分自身が「私にはパートナーはいらない」と、本気で純度の高い思いを持っているなら「ひとりで強く生きていこう」でいいと思います。

でも、そもそも、パートナーがいらない人はこの本を読んでいないですよね。

また、私たちが地球に降り立った理由は「愛」を知るためという側面もあるんです。だから弱い自分を認めることも大切だし、時に人に頼ることも大切で、人からの「愛」を感じることもとても尊い学びです。

自分の弱さを否定するのではなく、そこから何を学んで成長するか、というふうに考えたらいいと思います。

無理して強くなろうとするのだけは、絶対にやめてくださいね☆

コツ 23 ライバルを愛す

あなたと同じ人を好きなライバルがいる。そのような状況の方ももしかしたらいるかもしれません。

自分が引いてしまったら、相手に奪われるかもしれない。

そんな危機感にかられると、つい焦ってしまうし、波動が乱れがちですよね。

その場合、どうするのが正解でしょうか？

答えを先に言ってしまいましょう。

これは一歩先に進んだ波動的恋愛論なんですが、ライバルがいるときは、ライバルのことも好きになってみると、不思議と自分が選ばれてしまう。ということが起きやすいです。

私が、今のような現実創造のアドバイスをするお仕事の前に、恋愛カウンセラーとして活動していたことはすでにお話ししましたね。

そのときは、「別れた彼が好きだけど今は新しい彼女がいる」とか「大好きな人にすごく仲のいい女友だちがいて、そっちと付き合ってしまいそう」とか、三角関係になっているパターンの相談も多かったんですね。

その中で、見事その彼と復縁できたり、意中の人と付き合えた人に私がアドバイスしていたのは、「好きな人よりも、そのライバルを好きになってください」ということです。

どうでしょうか？　あなたはできそうですか？

「えーーーー、なかなか難しい……」という声も聞こえてきそうです（笑）。

では、なぜそれが必要なのか、説明しましょう。

ライバルがいれば誰だって意識してしまうし、何としても負けたくないとか、打ち負かしたいみたいな意識が入ります。

そこで気づいていただきたいのは、そのように感じている時点で、潜在的に「私は負けている」「私はあの人より劣っている」と無自覚なんだけど考えているということ。

表面ではそう思っていなくても、相手に脅威を感じているんです。

そこで昔私がやっていたみたいに、髪をかき上げる角度がどうとか、チラリズムで色気を感じさせるとかやってみても意味がありません。

「彼女も彼のことが好きなのね。私、それだけモテてる人を好きになったんだな、彼女も見る目があるな。一緒に頑張ろうね！」と、同じ仲間だという目線を潜在意識に送ることが大切なんです。

「正々堂々と、好きな彼に振り向いてもらえるように頑張ろうね」とライバルにも温かい思いを送って、あとは自分の波動、現実創造に集中していく。

すると、自分の行動・言動・在り方が、器の広い女性そのものになります。

（ちなみに、本気でライバルの方を好きになったら、「自分が勝っちゃったら悪いな。○○さん〈ライバル〉が可哀想だな」という罪悪感めいた気持ちになることもありますが、そこは変に気にしないでください）

で、実は……。

『それくらいの女性だからこそ、彼が絶対に離したくなくなるんです』

「コイツ、どれだけいい女なんだ」と。

ライバルを愛そうとすると人間的に磨かれるので、相手に対しても敬意をもって言葉を発することができたり、行動も変わっていきます。

それくらいの女性になっていたら、彼だけでなく他の人たちも「この人すごいな」と見てくれるようになってきます。

だからまず、潜在的な「彼女に負けたくない」とか「実は自分は負けている」という意識から脱することが必要です。

ライバルを「仲間」とみなすまではできなくても、どの人にも敬意をもって接していくこと、大切にすることができると自分の波動は途端に整います。

また、たとえば仕事上のライバルでも同じです。

私が営業パーソンをやっていたとき、あまりいい成績が出せなかったのは「勝ちたい、なんとかしてあの人より上になりたい」みたいに「負かしてやりたい」的に思っているときでした。

でも、「この人たちの良いところをちゃんと認めて、私も一緒に頑張りたい」と思ってから、成績が上がっていきました。

状況にもよるし、たまーに性格が悪い人もいるので、どんな人とも絶対にいい関係になれると断言はできないけれど、「その人の存在を認めてあげる」というのは、どんな場面でもすごく大切だと思っています。

コツ 24 嫉妬をバネにするととんでもなく飛躍する

幸せになりたいと強く思っているとき、誰かと自分を比べて嫉妬したりすることも、あるかと思います。

私なんて、ずーっとそうでした。

表面的には全然気にしてないように見せていましたが、私は昔から比較的女性から好かれる気質みたいで、いろんな女性から慕われて彼氏や旦那さんについての相談もされていましたが、そのたびに自分と比べてモヤモヤしていました（そう悩めることすら、ただただ羨ましかったんです。笑）。

恋愛カウンセラーになってからも、クライアントさんはどんどん恋愛が成就していくのに、「なんで私だけ取り残されるのー!?」とよく天に叫んでいました（笑）。

そのような状況からいわゆる「嫉妬心」に感情が支配されそうになることもしばしばあったのですが、「嫉妬」は願望実現の邪魔になるからやめなさいと教える情報もありますよね。

でも私の場合は、みなさんに「嫉妬」を感じないようにしてほしいとは思わないんです。もし「嫉妬」を感じたら、それをバネにするととんでもない飛躍があると思っているからです。

まず落とし込んでもらいたいのは、「嫉妬」を感じている時点で、目の前にいる人と同じ要素が自分にもあって、しかもその人よりも優れた点も持っている可能性があるということです。

「嫉妬」にまみれているときって、どうしても相手の短所やアラを探したくなり、人に、「あの人、こう言っているけど実は裏でこうらしいよ」「キレイだけどああいうところが変だよね」とか言いながら、自分がホッとしたい場面もあると思うんです（苦笑）。

でもそうではなくて、「私にもこの人が持つ、素敵な要素があるんだ」と気づくことが大切で、「嫉妬すること」にエネルギーを注ぐんじゃなくて、その素敵な要素を改めてちゃんと伸ばしていくことにエネルギーを注ぐこと。そうするだけで、波動が整い、その後創られる現実は雲泥の差です。

たとえば、合コンで独り勝ちしている女の子。3人対3人で会っているのに、男子がみんなその女の子だけを見ていたり、「私たちって引き立て役に呼ばれたの？」みたいな場面があったとします。

そういうときは、後になって、注目されなかった女子たちでモテた子の悪口を言ったりしがちです。

「男子の前だとああいうしゃべり方するけど、私たちの前ではこうじゃん」とか（すいません、過去の私です。苦笑）。

まあ、その子がホントに性格が悪いパターンもあるので、そういう場合は言ってもしょうがないときもあるのですが、でもまったくの天然でモテている方もいるし、その場合は自分にもそういう要素があるから反応しているわけなので、そこに気づいて「あの子みたいになるにはどうしたらいいんだろう」と自分の内側を見つめ直すきっかけにしましょう。

私は、嫉妬心のある人のほうがすごく成長すると思います。

私が自分の中に嫉妬心を見たときには、今は「宇宙・神様からのプレゼントなんだな、もっと成長しちゃう機会を与えられているんだ」と思うようにしています。

まあ、たまには悪口も言いたくなっちゃいますけどね（あまりに態度の悪い人を見かけたときには）やっぱり人間だから聖人にはなれないし、ある程度言ってスッキリしたらその人に「すいません」と意識を向けて、後は自分に集中！みたいな感じです。

どんなときにも大切なのは、自分自身が「最高の花」だと思っていることです。

自分よりも上等だなと感じるお花もたくさん咲いていると思いますが、そういうお花が目についても、自分自身が凛としながら、生き生きした花としてそこに咲くことができていれば、絶対にミツバチはそこに来ます。

ミツバチが違うお花に飛んで行った？と思ったら追いかけたくなることもありますが、そういうときは、追いかけまわしたりコントロールしたりするのではなく、「私は最高のお花なんだ」という意識を改めて自分に入れてあげること。

また、目の前にいる好きな人と他の誰かが仲良くしているのが悲しいと思ったら、それは素直に言ってみてくださいね。それはコントロールじゃないから。

頭でぐるぐる考えてその人を自分のほうに向かせるためではなく、ただ悲しいとか寂しいとか感じたのなら、「私はこう思いました」とお相手に素直に言いましょう。

そのあとはまた自分がきれいに咲くことに集中する、それだけでＯＫです。

そうするだけで不思議と意中の人から追われだしたりします。

本当は、誰かと自分を比べて嫉妬に苦しむ必要なんてないんです。

だって、ライバルも素晴らしいけど、あなたも充分素晴らしいんですから。

❤ STORY 3
本心はどこにある?
はあ〜〜…
今の彼とうまくいってると思ってたんですけど
なかなか結婚の話が出てこなくて
オーダーの仕方が間違ってるんでしょうか!?
もしかして
「いつまでにこうなりたい」と期限を設けて焦っていませんか?

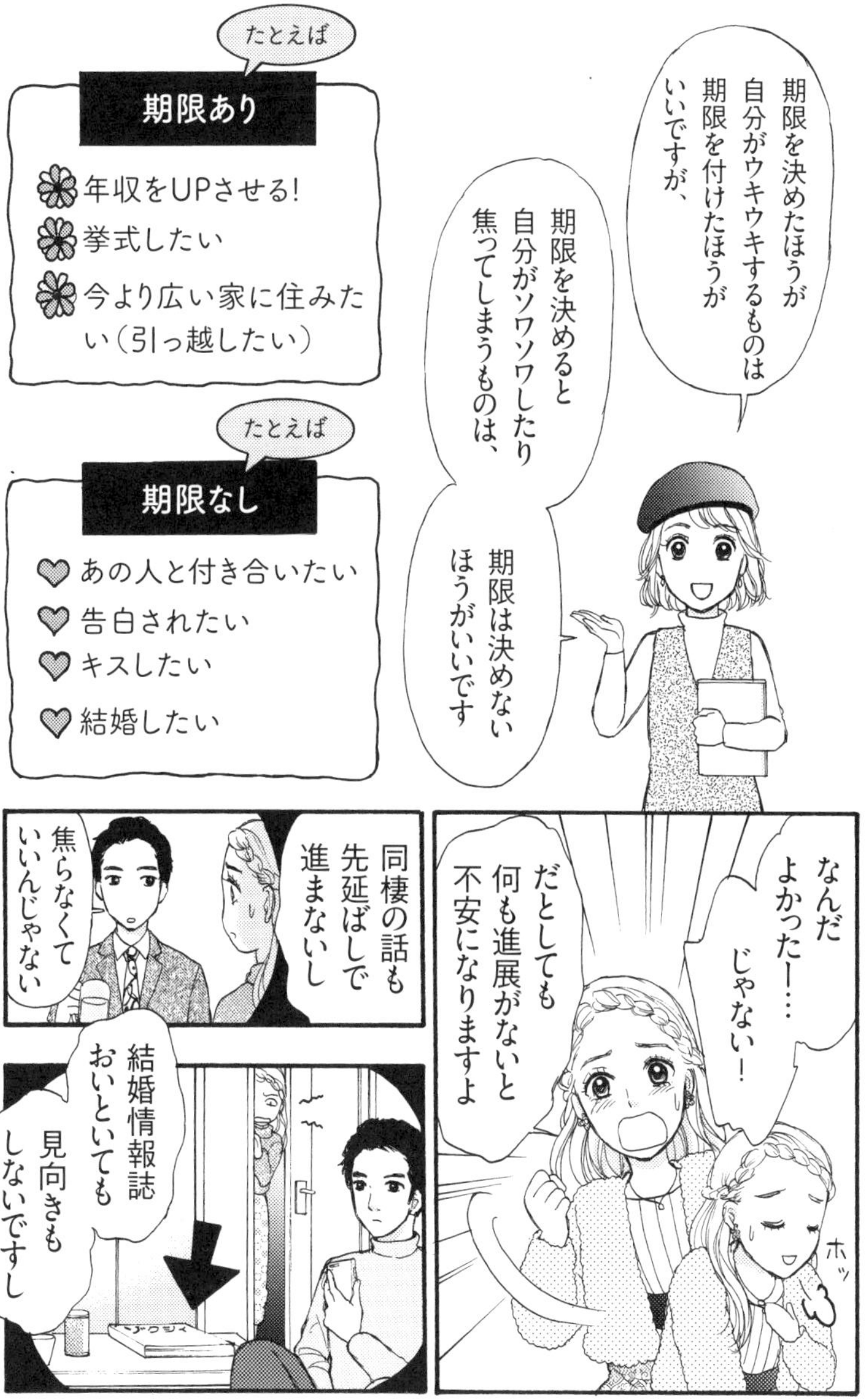
期限を決めたほうが自分がウキウキするものは期限を付けたほうがいいですが、
たとえば
期限あり
年収をUPさせる!
挙式したい
今より広い家に住みたい（引っ越したい）
期限を決めると自分がソワソワしたり焦ってしまうものは、
期限は決めないほうがいいです
たとえば
期限なし
あの人と付き合いたい
告白されたい
キスしたい
結婚したい
なんだよかったー…
じゃない！
だとしても何も進展がないと不安になりますよ
ホッ
同棲の話も先延ばしで進まないし
焦らなくていいんじゃない
結婚情報誌おいといても
見向きもしないですし

人は追い込まれると相手をコントロールしようとしますから
でも大丈夫！
よくなるコツが3つあります♡
なんですか!?
コツ⑮　いかなるときもコントロールは禁物
例A
「会いたい」って言ってくれないかな…？
「会いたい」と言ってもらえるようにLINEしてみる
真逆の回答が返ってくる
最近疲れてるだろうからしっかり休もう
例B
この指輪ステキ♡
チラッ
ウェディング
指輪が欲しいアピールをする
真逆のものがくる
えぇ―

コツ⑯　期待しない練習をする
例A
今度の土日どっちか空いてる?
空いてたらいいなぐらいの気持ちで
結果お泊まりに発展
両方とも空いてるからウチに泊まりにくる?
キュン♡
例B
今度買おうかな～♡
自分で買う予定で話を進める
彼からプレゼント!
コントロールや期待をしないと想像以上のことが起きます♪
♡ポイント♡
そうは言ってもまた思い通りにならなかったら落ち込みます…
はぁー…

こう考えて
みてください
?
思い通りにいかないとき、
その現実にのまれて
3-A
3-A
多くの人が傷つき
ネガティブに
なっていますが
「その現実」
というのは
過去
ぐぐっ
今
現実
ネガティブ
創りたい
現実
今の自分ではなく
過去のネガティブな自分が
創り上げただけです
創りたい
現実
現実
ネガティブ
キャー

どっ…
ガタッ
どうすればいいんですか
過去と今を切り離し
過去
ブチッ
今
現実
創りたい現実はこれなんだ!
という喜びの感情を今一度大事にしてください
創りたい現実
過去と今を切り離して…
喜びの感情?
大丈夫♡
「ホッ」とするだけです

ホッとするLINE UP

- お風呂に入る
- 寝る
- 景色を見る
- ごはんを食べる
- ペットと遊ぶ
- 趣味を楽しむ
- マッサージに行く

etc…

コクッ…
スゥーー…
フゥーーッ
カラララッ
ザアッ

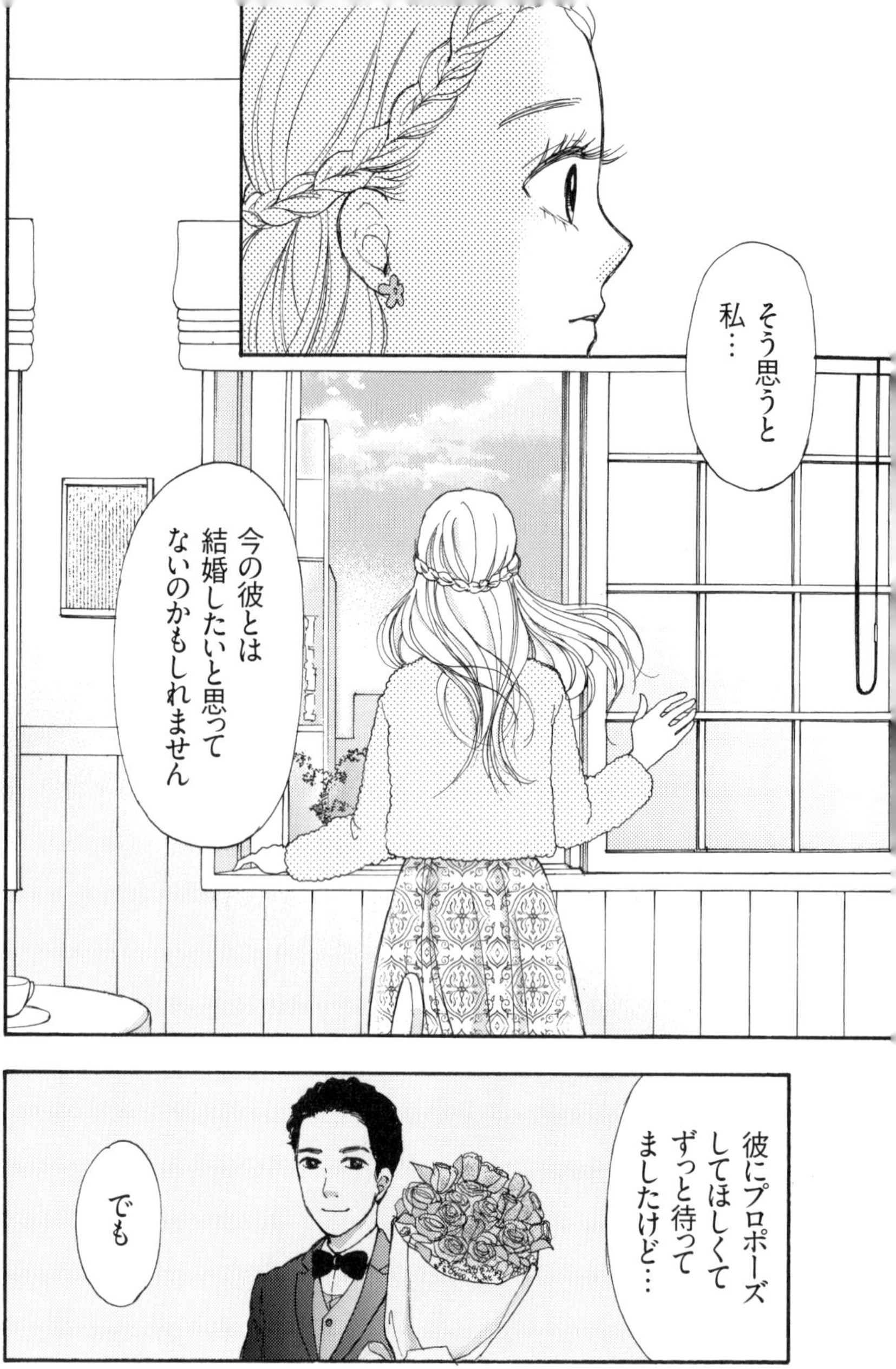
そう思うと私…
今の彼とは結婚したいと思ってないのかもしれません
彼にプロポーズしてほしくてずっと待ってましたけど…
でも

本気でそう思ってるのなら
彼をコントロールしようとせずに自分から伝えるべきですよね
もし期待通りの答えがこなくても
それは過去のネガティブな自分が創っただけのもの
それに気づけただけでもいい
パッ

あー気持ちぃー♡
浄化浄化〜〜!
サトシとは結婚のご縁がなかったんだ
これからは素直に自分に正直に生きていこう
——そして

引き寄せの世界を楽しんで
1年ぐらい経った頃――
！
ごめんね
信吾さん
改札の出口
迷っちゃって
村松信吾
（10歳年上のカレ）
無事に着いてよかったよ～
ぎゅ♡
純子ちゃん
今日も
可愛いね

私の願いを
すべて叶えてくれる
男性に出逢い
きゅん
こんなに完璧な人
本当にいる?
逆に不安に
なってきた
ねえ
このケーキ
かわいいよ
もう
この人以外
いないんじゃないか
と思ったのですが
――…
神様!
なにかひとつ
完璧じゃない部分を
見せてください!
すると――…

なんでもないよおな
ことがぁ～～～
…
神様
ありがとう
ございます♡
こうして
私は
彼と心から
結婚したい！
と思ったのです
リーーン
ゴーーン

婚姻届
令和3年6月22日届出
受理
夫になる人
(よみかた)
むらまつ しんご
氏名
村松 信吾
生年月日
昭和 年 月 日
住所
東京都 大田区
本籍
父
母
はい、確かに受理致しました
おめでとうございます
今晩どこか食べにいこうか
うん！家の近所の沖縄料理とかどう？
いいね
どしたの？
あ うん

前までは家族連れを見ると
「羨ましい」とか嫉妬心みたいなものを感じていた
でも今は
きゅんとして幸せな気持ち
私の中の波動が変わり始めている…！

COLUMN 2

宇宙的引き寄せにおける男の人の見極め方

「共に人生を過ごせる人」を見極めるには、「違うところと似ているところ」に注目してみるのもいいと思います。

夫は、自分を貫く強さとか、私にないところをたくさん持っている人なのですが、本質的なところはすごく似ているんです。

たとえばたまに寂しくなるときのタイミングが同じだったり、モラル的に大切にしたいこと、これは嫌だと思うことがすごく似ています。

第4章でもふれますが、子どもに愛のない接し方をする人や、店員さんに横柄な態度を取るような人は、私たち夫婦は大分苦手です。

表面的な部分にいろいろ違いはあるけれど、お互いに大切にしている核の部分が近いから、違う箇所がそう気にならないのかもしれません。

このように、本質的な似ているところを見つけていくと「合う」「合わない」はわかりやすいし、また、お互いの違うところも、話し合ったり譲り合える人ならば、「共に人生を過ごせる人」として間違いないと個人的には感じています。

第 4 章

ご縁は紡ぐから素敵！

最高に幸せ＆
さらに人生が好転する
「その先」の世界

❤STORY 4
この瞬間が愛おしい
ご結婚おめでとうございます！
本当に何とお礼を言っていいか
ペコペコ
いえいえ純子さんの努力ですよ
私…
この1年で思いました
コツ㉕
波動の性質を知る
「自分は大切にされてないんじゃないか？」と、自己否定すると波動が低く弱い私になり
大丈夫♪
「自分は愛されてる」「信頼してあげる」と自己肯定すると波動が高く強い私になる

波動が 強い 人

自己信頼値が高い

・自分は絶対大丈夫
・自分が感じていることは正しい
など

波動が 高い 人

人間力がある人

・自他に優しい人
・人の悪口を言わない
など

だからこれからも、波動を「高く」「強く」していれば
なんでもうまくいく気がします！
最初の頃の純子さんとは全然違いますね
まるで別人のようです
「でも」「だって」
「私だって幸せになりたい」
3-A
吉岡
もう…
前の考え方はしたくないです

前までは漠然と「なんとなく」生きてきたけど
それだと「なんとなくの人生」で終わってしまう
健康
お金
パートナーシップ
居住
パーツごとに考え
どんな未来を生きたいのか？
キュンキュンしながら考えて
その喜びの感情を大事にする

そうすればきっと
毎日が奇跡です！
オギャア
オギャア
産まれたって!?

しー
あ…スミマセン
パパだよぉ～
うわっ
小さいな
可愛いな～
今のこの喜びの瞬間を
丁寧に生きていこう

コツ 25 波動の性質を知る

これまでお話ししてきたように、波動には「高い・低い」と「強い・弱い」があります。それぞれどんな違いがあるのか知っておくと、これからの人生にとても役立つと思います。

「波動が高い人」の状態とは、一言で言うと、精神性が高く人間力があるということです。自他への優しさや思いやり、心の広さなどが備わっていること。

一方、「波動が強い人」とはどんな状態かというと、自己信頼感が高くメンタルが強い状態のこと。

「自分は大丈夫だ」とか「私が伝えたいことは皆にも伝わる」とか、自己を強く信頼できている状態で、性格は悪くても（笑）それで世の中で成功している人はいっぱいいます。「我が強い」のとイコールではないけれど、極めてそれに近い雰囲気はあります。

ちなみに私のおすすめは、「波動が高くて強い人になる」ことです。

その理由は、波動が高くて強い人は、優しくて芯がある人だから。

また、波動を高く強くすることに意識を合わせていれば、引き寄せ的にもなんでもうまくいくのはもちろんですが、もしそばに同じような方向性で生きている人がいれば、共に歩む存在になれます。

自分が現状維持や後退を選んでいる場合は、そのようなお相手と出会うこと自体起こりませんが、自分が人生をより良いものにしようとか、波動をさらに高く強くしていこうという思いがちょっとでもあれば、同じような感性を持つ人と出会い、共に成長していける間柄になるので、とっても心強いです。

そして、恋愛面での波動を高めるには、たとえば相手に対して譲り合いの精神を発揮することや、相手の欠点よりも長所を見つけることが大切です。

ケンカしたとしても、カッとなって相手を傷つけるような言葉を投げ続けたりしない。仮にやってしまっても、ちゃんと謝って相手を尊重する。そして相手だけでなく自分もこういうところが悪かったとか、改善点を見つけながら折り合いをつけていけるといいですね。

波動はいわゆる「気」に置き換えることもできます。

実は、「気が強い」ということも恋愛では大切な要素です。

なぜかというと、気が弱い状態になると、すぐ「自分は大切にされていないんじゃないか」という疑いの意識や、自己否定の意識が出てきたりするからです。

気が強いとは、変にワガママというわけではなく、「私は愛されているんだ」という思いをちゃんと強く持って、自分の存在を力強く信頼してあげられるということ。イコール波動が強いということです。

自分はどうも気が弱いなと思う人は、まずそれを心がけていくことが大切だと思います。

私自身、昔は全人類でいちばん波動が低くて弱かったと思います。

第1章にも書いたように、生まれてこのかた、事件、病気、事故など不幸のデパート状態で、あまりにも波乱万丈な人生でした。生きているのがしんどくて何度か自殺未遂をしたこともありました。

宇宙の法則・現実創造論に出会う前、波動がうんと低くて弱かった頃は、比較的うまくいっていた仕事さえおかしな展開になり、そういうときはネガティブなことばかり起こるし、人との比較が入ってしまって「やっぱり私ってこの世の中に必要とされてないんだろうな」みたいな思考に陥ってしまっていました。

だから、恋愛にかぎらず仕事という分野でも、「波動が高くて強い人」で在るということはとても大切だと感じています。

コツ 26 この人でいいの？と迷ったときは高次の存在にも聞いてみる

出会ってから急速に距離が縮まって、相手は結婚も考えているみたい。

でも、まだお互いのことをそこまでわかっているわけじゃないし……。恋愛の展開が早かったりすると、そんなふうに迷う場面があるかもしれません。

エイブラハムは、「そういう迷いがあるときも我々にも聞いてください」と言ってくれています。生き方そのものに迷ったときもそうですが、恋愛で迷ったときもちゃんと答えてくれるんです。

たとえば、こんなふうにオーダーを出してみてください。

「この人が自分のパートナーでいいのかわからないからこのまま進展させていいのか迷っています。その部分がわかりやすくなるような出来事を起こして」

そうすると、判断がつくような出来事がちゃんと用意されます。

実は私もそのように迷ったことがあって、私は大好きな神社に行って、先ほどのようにお願いをしました。

彼が何度もプロポーズをしてくれていたのですが、ズボラ女子である片鱗しか出せていなかったので（笑）、「こんなズボラ女子な私と生活をしたら、ぶつかることが増えるんじゃないか」と思って、「結婚していいというゴーサインがあるなら、彼にもあるはずの〝完璧じゃない部分〟を見せて」とお願いしたんです。

そうしたら、まもなく食事の後で初めてカラオケに行く機会があって、彼の歌を初めて聞いたらエラい音痴だったんですよね（笑）。

普通ならそこで引く方もいらっしゃるのかもしれませんが、私としては、「ちゃんと完璧でないところを見せてもらえた、よかった」とすごく安心したし、もっと彼を好きになれたので、結婚することを決められました。そして、それをキッカケにお互いに不得意なもの、苦手なもの等を吐露しあえて、よりお互いを知ることができ一緒に生活するようになりました。

また、私の恋愛カウンセリングのクライアントさんでも、迷いを払拭させてほしい旨のオーダーを上げると、見事に迷いを払拭できるような「判断材料」になる現実が創られてきた例がたくさんあります。

「ごはんを初めて一緒に食べてみたら食の好みが合わなかった」とか、「彼が店員さんにいい態度ではなかったので、これは無理だと思った」とか。

その人と一緒に時間を共有する場面で、「この部分はどうなんだろう？」というのを見せられる機会があるので、そこで自分の心がどう反応するかを観察することが大事です。

ここでよくやりがちなのが、「でもこの人の年収いくらだし、結婚したら安泰かもしれない」とか考えたり、好きな思いが強くて、違和感を感じたのに流してしまうということ。でもそれはやめたほうがいいです。

それで結婚してしまって失敗する方もいらっしゃるので。

それよりも心の反応を大事にしてもらいたいと思います。

また、話し合える相手かどうか、譲り合えるかどうかも大事です。

もしちょっと嫌だなと思うところがあっても、話し合ったり譲り合ったりできればやっていけます。

一緒に暮らすうえでは、やっぱり人によって生活習慣が違うので、相手のパターンが理解できない場面も出てきたりします。

そういうとき、私は「すいませんけどそれ、どういうことですか？」とちゃんと聞いて、「できればこうしてもらいたい」と伝えます。向こうからも「それだったら純ちゃんもこうやってよ」と要望をもらって、話し合いをします。

たとえば、うちはドラム式洗濯機なんですが、夫は洗濯物を入れたらそのまま入れっぱなしで乾燥までまかせるのが習慣で、私はいったん止めてちゃんと干したい人なんです。

彼はわりと効率が良く合理的なことを好むのですが、私は私で、洗濯機で乾燥させて下着とかが縮んでしまうのが嫌だったんですね。

そこに感覚の違いがあったので話し合ったら、夫は洗濯機を回すのはやるけれど、途中で取り出すのは私がやるということになりました。夫は「自分のやり方がもう何十年も習慣になっているから、途中で止めるという感覚になるのは難しい、忘れてしまう」というので、そういうことで落ち着きました。

私たち夫婦は付き合ってから結婚するまでの期間が短かったので、結婚してから「えっ、そうなの？」みたいな細かいことがいっぱい出てくるなと実感しています。

でも幸いなことに、「絶対ムリ」と思うような違和感はありません。

それはきっと、先ほどまでに話した内容を実践してきたのと、これから話す内容も関係しているのかもしれません。

実は結婚する前に私、ここだけは許せないということ、「彼がこれに当てはまる状態をもし見かけたら、たぶん一緒には生きていけないな」という内容を、書き出しておいたんですね。

たとえばなのですが、変わっているかもしれないけれど、私はお魚を汚く食べるとか、クチャクチャ音を立てて食べるタイプの人と一緒だと気になってしまうので、避けたいと思いました。それはその方がダメということではなく、ただ私が気になってしまうからです。

そのせいで人を嫌いになったりガミガミ言う自分になりたくないし、お相手にとってもよくないから、それならそういう部分が目立たない人のほうがいいと思ったんです。

あとは子どもに優しくないとか、店員さんに横柄な態度を取る人も苦手です。

そういうものをみんな書き出して「ステータスや見た目は全然気にしないけれど、そういう人以外でお願いします」と、宇宙へのオーダーノートに書き出していたんです。

そうすると、パートナー候補の人が現れたとき、ほとんどの方がそれらに当てはまりませんでした。

やっぱり、「こういう要素があると受け入れられない」ということは、どなたでもあると思うんです。それであれば、自分の中でその点もはっきりさせて、宇宙に伝えることが大事です。相手とムダに傷つけ合わないためにも、後々になって「この人無理〜。泣」とならないためにも、このお話は実践してみていただきたいです。

コツ27 小さな目標設定、大きな目標設定、どちらが自分に合うかを知る

ここまでのおさらいをすると、現実創造には二つの大きなポイントがあって、波動を高く強くというところに自分の意識を合わせる、そこが一点。

もう一点は、私たち一人ひとりがどういう未来を生きてみたいのか、そこに

しっかり焦点を合わせること。そして、その都度想像して感情をしっかり味わっていく。ということです。

創られていくのは、つねに「自分が想像したことと、それに付随して湧き上がってきた感情を深く味わう出来事」です。

だからたとえば、「健康」「お金」「パートナーシップ」「住む場所」など、生きることの大きな軸となる部分を要所ごとに想像し、想像しながら都度感情を味わっていてほしいです。

けっこう大雑把に想像してしまう人が多くて、それだと、どこかひとつしか叶っていないということになりがちです。

でも、生きるうえでは「健康」「お金」「パートナーシップ」「住む場所」など、どれもすごく大切です。そういうことをちゃんと自分で理解して、一つひとつ丁寧に想像していきましょう。

エイブラハムがよく言うのは、「今という瞬間の波動で未来が創られるのに、あまりにも今という時空を大切に過ごしていない人が多い」ということです。

この瞬間の波動で未来が創られるのだから、今日がなんとなく終わっちゃうみたいな感覚だとすごくもったいないと思います。

それなりの過ごし方をしたらそれなりの人生になるし、なんとなく過ごしたらなんとなくの人生になる。だからちゃんと丁寧に、「今という瞬間に喜びを感じてみたり、ポジティブな波動を発して生きなさい」とエイブラハムは教えてくれているんですね。

だからそういう意味でも、自分がどうなりたいかをはっきりさせるという目標設定は大切です。

エイブラハムは、「その目標が、ちゃんと臨場感を持って想像したり味わったりできるものでないなら意味がない、ダミーと同じになる」とも言っています。

ですから、大きな目標設定をすると臨場感を持って想像できない方におすすめしたいのは、大きな目標の前段階から、「これは確実に叶えたいな」とか「これが変わったらうれしい」という身近な目標を、今の自分の感情を観察し

ながら設定していくということ。

そうするとそれらが叶いはじめ、少しずつ目標も大きくしていけるし、その大きな目標もいずれ達成してしまいます。

バーンと大きな目標を立ててそれらをすぐに叶える方も確かにいらっしゃいますが、「あ、これも叶った、あれも叶った」という小さな成功体験をいくつか積み重ねた後に、「もしかしたら、難しいかもしれないけどここもいけるかな？」と想像してみたことが、ポンと叶ったりする方もいらっしゃいます。

どちらかというと、小さな体験から積み重ねるのが合っている人が多いので、身近な目標を設定したら、その状態を想像しながら感情を深く味わってみてください。

コツ 28 目標の量は少ないほうが焦点を合わせやすい

これは人によるのですが、自分で作る目標の量は、少ないほうが焦点を合わせやすいです。

実際、どれくらいの量がいいかは人によるし、その人のステージにもよりますが、現実創造がまだ苦手だったり、知ったばっかりでゆらぎやすいような場合は少ないほうがいいかもしれません。そのほうがしっかり焦点が定まるからです。

でも、人はだいたい欲張りです。目標は少ないほうがいいと言われても、「えっ、それしか叶わないなんてイヤだ」と、いっぱい目標を作る人もいます。

別にそれがダメなわけではないのですが、それでいろんなものを想像してしまって、焦点がうまく合わないで、結局何も叶わないというパターンも多いです。

ですから、なかなか願いが叶わないな〜という感覚がある方は、まずは一点集中でそれを叶えてしまうほうがいいかもしれません。

ひとつずつ、タイムラグがあまりない状態でどんどん願望を叶えていければ、結局は叶った数も多くなるし、大きな願望も叶えやすくもなります。

初めは1個から、しっかり焦点を合わせる。この練習をしてみてください。

それから、期限を設定するべきかどうかも、人によります。「この願いはいつまでに叶う」と期限があるほうがテンションが上がるならそうするといいし、焦ってしまうなら作らないほうがいいです。

私はこれまで引き寄せや現実創造を伝えている人たち、エイブラハム、バシャール、ナポレオン・ヒル、マーフィーなど、いろいろな方々の理論にふれてきましたが、期限に関してはそれぞれ見解が違うものもありました。

どれがいいだろうといろいろ試してみたら、私の肌感覚ですが、期限を定めたほうがいい願望もそうでない願望も、それぞれの正解は自分の中にありました。

私の場合は、「お金」はいつまでにと定めたほうが現実化が早かったけれど、「恋愛」「結婚」でそれをやったら焦ってしまってダメになりました。何を思ったのか、ムダに胸元がはだけた服を買うとか、ファッションが変になっていくという……。たぶんまたも焦って小手先のほうに行ってしまったんだと思います（苦笑）。

私みたいに恋愛ベタではなくて、元々恋愛が得意分野の人なら日付を定めることでテンションが上がると思いますが、これは人によって違うので、正解は自分で決めてくださいね。

コツ29 「純度の高いお願い」こそが宇宙に届く

宇宙にオーダーを出すときに忘れてはいけない大事なことを、ここでもう一度確認したいと思います。

恋愛カウンセラーをしていたときのクライアントさんの方のお話です。

当時40代後半のAさんは、男性とまったく付き合ったことがないけれど、誰かとお付き合いできたらいいなということで、相談に来てくださいました。

最初に会った印象は「見た目がもうちょっと華やかになってくれたらいいな」という感じで、私としては少々心配でした。

Bさんはもう少し若くて年齢は30歳ぐらい、彼氏にふられて復縁したいと希望されていました。見た目がとてもきれいな人でした。

カウンセリングをしていて、一見、若いBさんのほうが恋愛経験があるし見た目も可愛いし、すぐに結果が出るかなと思われました。

ところが、結果が出るのが早かったのはAさんでした。

決め手は何かというと、Aさんは素直にひとつずつできることをやっていく、それをすごく熱心に真面目にやってくださったんです。

「男性としゃべるとき緊張しますか？」と聞いたら「します」と言うので、私は次のことを提案しました。

・男性の店員さんがいるコンビニに行くとか、美容室に行ったら男性の美容師さんを指名するとか、ちょっとずつでいいから男性とふれあうことを覚えてほしい

・そうするとちょっとずつ日頃の好みも変わってくるので、ちょっとでも「可愛いな」と思う服や持ち物があったらそれらを選んでほしい

そして、ご本人はまず男性とどもらないで話せることを願っていたので、楽しくおしゃべりができているところを想像したり、もしくはしゃべれなくても「そんなあなたが素敵ですよ」と感じの良い男性に言ってもらえるシーンを想像してもらうようにしました。

すると、担当についた美容師さんがまさしくそういう人で、いい感じでお話ができるようになってきて、それとほとんど同じタイミングで職場の男性と食事に行って、結局は職場の男性とめでたく付き合うことになりました。

Aさんは「男性とお付き合いがしたい」という純粋な思いからアドバイスも素直に実践してくれ、男性に優しく接してもらえるようになって、男性と会話ができて、一つひとつ行動しながら考えて、最終的には望む現実をしっかり創れました。

しかし、一見うまくいきそうに思えたBさんは、途中でフェイドアウトして連絡がなくなってしまいました。

彼女は、最初から若干ズレていた気がします。

「復縁したい彼が私の大好きなエルメスのなんとかを持って現れる」とか、「彼と大きなおうちに住んでリッチな海外旅行に行く」とか、欲が出ちゃっていました。もちろんそういうものもあっていいけれど、その前段階があるよねということです。

彼女にとって「復縁したい彼」は、高いステータスを与えてくれるアイテムでしかないように見えました。

自分の軸にある感情が枯渇しているというか、満たされないものがたくさんあって、それを表面的なもので補っていこうという意識があったかなと思います。

そして、その不幸な意識状態が改善されなかったこともあり、彼と進展することはありませんでした。

もしそうではなく、彼とまた両想いになりたいと純粋に願って心を震わせることができていたら、結果は違っていたかもしれません。

一方、一生懸命スモールステップを重ねてくださったAさんは、自分の中にぽっかりと空いていた部分を自分で癒すように言葉をかけたりしながら、自分を満たすだけでなくまわりへの感謝も忘れない人でした。そこがすごく大きな差になって表れたという感じです。

そこに職場の彼も惹かれたとのことで、そこには人に対する見栄も、彼をコントロールしようという意識もありません。

だからAさんの純度の高い願いは、しっかりと現実化されたんですよね。

コツ 30 低いハードルを越えるように するっとヴォルテックスの中に入る

あなたは、エイブラハムが言う「ヴォルテックス」という言葉を聞いたことはありますか？

ヴォルテックスとは、強力な現実創造のエネルギーが渦巻いている場所です。

ですから「ヴォルテックスの中にいる」ということをしていると、望む現実が創られます。

では一体、「ヴォルテックスの中にいる」ということをするには何をしたらいいのか？というと、感謝や喜び、うれしい、楽しいなどの言葉で表される陽気な感情を味わいながら、望む未来を想像したり、「今」を気分よく過ごすだけです。

そういう状態でオーダーを出すと、望む現実をどんどん創れます。

「ヴォルテックスに入るのって、難しそう」と思っている人は、ささいなことでは入れないと思っているからそう感じるんですね。

一生懸命「感謝しなきゃ」と思ったり、すごく努力が必要だと思っている方も多いようなのですが、実はそんなことはなくて、たとえば大好きなケーキを食べたときって、その瞬間ちょっと気持ちが上がりますよね。それでいいんです。その状態でオーダーを上げると創造されるスピードが速くなります。

また、お風呂に浸かった瞬間やお布団に入ってフゥッと力が抜けて気楽になった瞬間、実はそのときもすでにヴォルテックスに入っています。

他にも、大好きなワンちゃんやニャンちゃんにふれただけでもすごくホッとしますよね。それでもう私たちはヴォルテックスにいるんです。

一日の間で、そのときのホッとする感じをなるべく維持しながら、筋肉がほぐれた状態で自分が見たい未来を想像しましょう。

そうすると、オーダーがどんどん叶っていきます。

自分の気持ちがちょっとこわばったり、なんとなく焦っているときはすぐに気づいて、そのホッとするアイテムにふれてみたりするのがおすすめです。前もって、そういうものを用意しておきましょう。

私がいつもやっているのは大好きなチョコレートを持ち歩いて食べること。あとマッサージに行ったり、瞑想もします。

お家にいるなら時々ストレッチなどやってみながら、心身をほぐしてみてください。それだけでもヴォルテックスに入れるので、ぜひトライしてみてくださいね。

コツ31

泣いちゃうような衝撃も次の展開に必要なステップ

「引き寄せ」「現実創造」をしていくうえで、これもぜひ覚えておきたいことのひとつですが、「超うれしい！」という陽気な感情を味わう現象の前には、陰気な感情を味わう現象が起きることもあります。

これは絶対ではなくて、ストレートにうれしい現象が起きることもあるんですが、うれしい現象とは真逆な現象が起きることもあるんです。

たとえば、「素敵な男性に出会える」というオーダーに焦点を合わせると、その数日後に男性からバカにされるようなことが起きたりします。

これは私の実体験ですが、かつてそういうオーダーを出した数日後に道を歩いていたら、知らない男性から突然すれ違いざまに「なんだあのブス」って言われたんです。

「なんだあいつ～!!」とうっかりその場で叫びそうになるくらい、

今でも人に話すとき声がひっくり返っちゃうくらい、衝撃の体験でした。

他にも、結婚間近な知り合いの男性から、突然「彼女とセックスレスだからセフレになってほしい」と言われたりしました（苦笑）。

これらの現象を今ふりかえってみると、それらは完全に「お試し」でした。「私は大切な人からちゃんと愛される存在であっていい」という、自分への許可を出すための必要なプロセスだったんです。

どういうことかというと、「自分は大切にされる、幸せな結婚をする」と想像しながら、私は自分の見た目にコンプレックスを感じていたために〝他人に容姿をけなされる〟という経験をし、「そんなことないよ。純ちゃんの見た目も悪くないよ」と自分に言ってあげる経験するために、それは起きた。ということです。

それと、以前好きな人の1番になれなかった経験から「私はずっと1番にはなれない2番手の人生なんじゃないか」みたいな意識もどこかにありました。

ですから、セフレを提案してきた人はすごくイケメンで優しい方だったけれど、「それはおかしいでしょう。私が私を裏切ることになるから絶対ダメ！」と強く思って、何言ってるんだとほとんどキレながら断りましたが、きっとこの展開は「1番に愛される」「大切に扱われる」につながるためのプロセスだったのだと感じています。

こういう衝撃的な現象が起きたときは、それに対してネガティブな意味づけはしないで、逆にポジティブな意味づけをしながら、必要なステップを踏んでください。

ただ、その直後はやっぱり腹が立ったり落ち込んだりしますよね。

そういう場合は、信じられないくらいその出来事へのグチを言って（笑）、それからホッとして波動を整えましょう。

そのグチは本人にぶつけるわけじゃないですよ。

思ったことを紙に書き出すんです。

衝撃的な出来事があると頭の中でいらないおしゃべりがはじまって、自分の存在否定や過去のイヤな記憶が出てきたりするので、それ以上ネガティブな思考に焦点を合わせないために、全部書き出して、その紙を燃やしてください。

モヤモヤをためた状態ではホッとできないので、デトックスを徹底的にやってからホッとする、これが大事です。

それでもまだモヤモヤしてしまうときには、その都度書き出して燃やすという作業をくり返してもらいたいです。

ちなみに私は燃やす専用の中華鍋を持っています（笑）。火を使うなら台所しかないので、クシャッと丸めて鍋に入れてチャッカマンで燃やしています。

陰のエネルギーを紙に込めて世の中からなくす、この作業がいいんです。

火の浄化力は強いので、いちばんのおすすめは燃やすことですが、どうしても火を使うのが無理な環境ならビリビリ破いて捨てるか、トイレットペーパーに書いて水に流すのもありです。

この作業はけっこう面倒くさくもあるのですが、丁寧にやってほしいです。デトックスがすべての基盤になるので、本当に大事。

会社などにいるときはすぐに燃やせないですが、もし信じられないくらい

「キーッ」となってしまったら、その場で怒りを紙に書き出すことだけでもやって破って捨てるか、家に持ち帰ってから燃やしてもいいです。

そのときの状態次第では、モヤモヤとした感情を早めに書き出すだけでもやっておくと、心はかなりスッキリしますよ。

コツ 32 思わぬご縁が想像もできないことを起こさせる

「引き寄せ」「現実創造」がうまくなってくると、冗談抜きで、想像もできないようなことがちょいちょい起こります。

これは私に起きたことなのですが、この間、YouTubeの同じカテゴリーの中で人気のあるＨｏｎａｍｉちゃんから突然メールが来ました。それまでお互いに存在は知っていたけれど、直接交流したことはなかったのでビックリ！　うれしかったです。

想像外の出来事には毎回驚きますが、それが起こることはすんなり受け入れられます。

それはなぜかというと、いつも「奇跡的なご縁がある」「奇跡的な出来事がある」という設定をしているからです。

そう設定している理由はなぜかというと、意外な展開があると面白いし、「こんなことが起きるの？」っていう現象が日常に頻発すると楽しくなるから。

「わーすっごい！　ミラクルだ」とかの口ぐせを持っていると、結局そうなるんです。

YouTubeやオンラインコミュニティ『魔法使いの国』でコラボさせていただいている桑名正典さんとのご縁もそうでした。

桑名さんの本を読んで前からずっと「会いたいな」と思っていて、しばらくは忙しくて頭から消えていたんですが、たまたま数年ぶりに本を読み返して、やっぱり会いたいなあと思ったんですね。

それで、YouTubeを配信する前に、日頃サポートしてくれているスタッフに「この本を書いている人、面白いから会ってみたいんだよね」と何も考えずに言ったんです。

そうしたら、なんとそのメンバーのうちのひとりの友達だったみたいで、その人に連絡を頼んで、お会いしてすぐコラボすることができました。

また、Honamiちゃんの件は、クリスマスの頃に「Honamiちゃんとしゃべってみたい」とオーダーを上げておいたら、その日の夜に本人からメッセージが来たんです（同日って驚きですよね。笑）。

彼女に関して強く願ったのは1回だけです。でもお互いの存在は知っていたし、共通のファンの方もたくさんいたので、以前からしゃべってみたいと思っていました。

ですから以前からしゃべっている映像も無意識のうちに想像していて、「会ったら私はたぶん、こういうことを言うだろうな」とか「こういうリアクションだろうな、あはは」とか、そのときは無自覚だったけど数カ月間そんな想像をしていたんです。

それで、クリスマスにサンタさんにお願いするみたいな軽いノリで宇宙にオーダーしてみたら、Ｈｏｎａｍｉちゃんからメールが来ました。面白いですよね。

そういう展開を見てみても、「奇跡的な出来事がある」という前提で生きることはけっこうおすすめです♪

ただ、何も起こらない期間ももちろんあります。そうすると、多くの人はそちらに意識をフォーカスしてしまって「なんだ、奇跡なんて起きないじゃん」となりますが、そこにとらわれて、奇跡が起きないという波動を発さないようにしてください。

そうしないと、その波動に見合った現実が創られてしまうので、それだけは気をつけてもらいたいです。待つスタンスをちゃんと持って、「奇跡は起きるんだ〜♪」と待つ時間を楽しめるとベストです。

やっぱりみんな結果を早く求めたり、「想像以上じゃないと」みたいな欲が出てしまうことが多いのですが、奇跡設定をしているときほど、今ある日常に感謝したり、「この何もない時間がいちばん奇跡的なことなんだよね」というスタンスを保てると、その波動に呼応して大きな喜びを見る展開（奇跡的な展開）が後々に創られます。

コツ 33 今の世界は幸せな世界でしかない

私達が生きている世界って「幸せな世界」でしかないんです。

それなのに「不幸だ」と感じるときは、自分の中にネガティブな感情、陰気な感情を見て、その現象に意味づけをしてしまっているだけです。

基本的に、「自分自身が創りたい現実」に対して焦点を定めると、そこへ行くためのプロセスとしてひとつの壁が現れたり、自分の気持ちが折れそうになるような、ネガティブな現象が現れることもあります。

そしてその現実があるからこそ、「自分自身が創りたい現実」が創造され「幸せ」をより深く感じられます。

ところが多くの人がそこで折れて「自分はダメなんだ」という解釈をしてし

まうのですが、そういう方向に意識が向いてしまうのは本当にもったいないです。

だってあなたはダメなんかじゃないから。

「自分が創りたい現実」に行くために、今自分が修正しないといけない意識の置き方、在り方、行動があるんだな……。

「これが幸せにつながるんだな」という意識をしっかり持ってほしいです。

あなたが幸せにフォーカスし続けることさえできていれば、その後、そのように現実は創られていくし、あなたの世界は今もこれからもずっと幸せでしかないんです。

おわりに

今こそ、動き出すときです

最後までお読みいただき、ありがとうございました。

過去の私は「恋愛」に関しては本当に行き詰っていて、街中で楽しそうなカップルを見かけたり、仲のよさそうなご家族を見かけるだけで涙が溢れてきてしまい、「なんで私は誰からも愛してもらえないんだろう」とずっと落ち込んでいました。なんとなく自分だけがこの世の中で必要とされていないように感じてしまって、「魅力的だな」と感じる方々と自分を比較しては、「なんで私はこんな見た目なんだろう……」とか、「なんで私はこんな性格なんだろう……」とか考えながら未来を悲観することしかできなかったです。

でもそのような状況を脱したいと強く願ったからこそ、私はエイブラハムやさまざまな現実創造論と出会え、人生が１８０度変わってしまいました。

エイブラハムは言います。

「私たちは、あなたが考えていること、感じていること、それらによって発している波動にただ〝yes〟と答えているだけです。ですから望まない経験に目を向けるのではなく、望む経験に目を向けて、今この瞬間を楽しんでいてください」と……。

だからあなたが本気で、素敵なパートナーから愛され幸せを感じて生きていたいと考えているのなら、「その状況」を想像しながら、どこまでも日々を楽しんで過ごしてみてください。時に、人を羨んでみたり、焦ってしまったり、悲観してしまうこともあるかもしれないけれど、私のような超恋愛ベタな人間でも幸せな家庭を持つことができたのだから、あなたは絶対大丈夫だし、あなたが想像している以上の素晴らしい未来は必ず創れます。

あなたが銀河一のパートナーと世界一ハッピーになりますように、そしてこの本がそのお役に立ちますように、心から願ってやみません。

吉岡純子

宇宙《うちゅう》パワーで銀河一《ぎんがいち》のパートナーと世界一《せかいいち》ハッピーになる！

この世で一番恋愛ベタな私が見つけた「絶対法則」

2021年6月30日　　初版発行

著　者……吉岡《よしおか》純子《じゅんこ》

発行者……塚田太郎

発行所……株式会社大和出版

東京都文京区音羽1-26-11　〒112-0013
電話　営業部03-5978-8121／編集部03-5978-8131
http://www.daiwashuppan.com

印刷所／製本所……日経印刷株式会社
装幀者……喜來詩織（エントツ）

ISBN978-4-8047-0599-6